# Vocabulaire essentiel du français

## A1

Lucie Mensdorff-Pouilly et Caroline Sperandio

didier

**15** hg AcuaO-Fotolia.com **15** md Antonio Guillem/123rf **16, 162** hd, 2h Catherine CLAVERY-Fotolia.com **16, 162** hg, 2b AcuaO-Fotolia.com **18** bd jonnysek-Fotolia.com **18** bg Prod. Numérik-Fotolia.com **18** md doris oberfrank-list-Fotolia.com **18** mg Brad Pict-Fotolia.com **19** h Avec l'aimable autorisation des Éditions de la DILA (Direction de l'Information légale et administrative) **22, 24, 63** 3 Graphi-Ogre/GéoAtlas **23, 24** hd, 4 Alexander-Fotolia.com **28** jcomp-Fotolia.com **31** hd Stein DPA/Picture Alliance/Leemage **31** hg altamira83/Istock **36** h Jimena-Fotolia.com **44** 2a NJ-Fotolia.com **44** 2b Konstantin Yuganov-Fotolia.com **44** 2c sumnersgraphicsinc-Fotolia.com **44** 2d Denis Pepin-Fotolia.com **44** 2e snyfer-Fotolia.com **44** 2f mipan-Fotolia.com **44** 2g Vereshchagin Dmitry/123rf **44** 2h Popova Olga-Fotolia.com **47** bg Laurène Bourdais/Photononstop **47** hd James Brittain/Corbis/Gettyimages **47** hg BSTAR Images/Alamy **47** md Jean-Erick Pasquier/Gamma-Rapho/Gettyimages **47** mg VvoeVale/IStock **56** 4a,b,d,e,f leremy-Fotolia.com **56** 4c Creative S-Fotolia.com **60** Puckung-Fotolia.com **66** bd Kzenon-Fotolia.com **66** bg contrastwerkstatt-Fotolia.com **66** bmd fiphoto/123rf **66** bmg Adam Gault/SPL/Gettyimages **67** hg Vincent Kessler/Reuters **67** md Alain Le Bot/Gamma-Rapho/Gettyimages **67** mg Charles Platiau/Reuters **68** 2,1 Eric Audras/Onoky/Photononstop **68** 2,2 juefraphoto-Fotolia.com **68** 2,3 contrastwerkstatt-Fotolia.com **68** 2,4 michaeljung-Fotolia.com **68** 2a Jean-Paul Chassenet Photographe-Fotolia.com **68** 2b Africa Studio-Fotolia.com **68** 2c studiophotopro-Fotolia.com **68** 2d stokkete-Fotolia.com **72** 2a yampi-Fotolia.com **72** 2b Franck Boston-Fotolia.com **72** 2c Hermann-Fotolia.com **72** 2d gmstockstudio-Fotolia.com **72** 2e Alexandre Zveiger, www.photobank.ch, 6900 Lugano-Fotolia.com **72** 2f Dimitrios-Fotolia.com **72** 2g oceane2508-Fotolia.com **72** 2h Carlos Caetano-Fotolia.com **78** bd hanoiphotography/123rf **78** bg Petros Hajianastassi-Fotolia.com **78** bmd Dmytro Nikitin/123rf **78** bmg Philippe Halle/123rf **78** hd Anirut Rassameesritrakool/123rf **78** hg Richard Damoret/Réa **78** mg Takashi Images/Shutterstock **79** hd svglass/123rf **79** hg Philippe Turpin/Photononstop **79** md Lydie Lecarpentier/Réa **79** mg Kaarsten-Fotolia.com **82** mg Albachiaraa-Fotolia.com **86** bd Ankorlight/Istock **86** md Michel Gaillard/Réa **86** mg Quere Romain-Fotolia.com **87** schwabenblitz-Fotolia.com **92** 2,1 shock-Fotolia.com **92** 2,2 Pierre Bessard/Réa **92** 2,3 Mosuno Media/Westend61/Photononstop **92** 2,4 Odilon Dimier/ZenShui/Photononstop **92** 2,5 Alex Brylov/Shutterstock **92** 2,6 Laurence Mouton/PhotoAlto/Photononstop **93** a ajt/123rf **93** b alexlukin-Fotolia.com **93** c jerome signoret-Fotolia.com **93, 95, 96** d,4,e Yodsawaj Suriyasirisin/123rf **94** 1 Joe Gough-Fotolia.com **94** 10 Konstantin Sutyagin-Fotolia.com **94, 96** 11, d womue-Fotolia.com **94** 12 razorconcept-Fotolia.com **94, 96** 13, b natika/123rf **94, 96** 14, c SGV-Fotolia.com **94** 15 ajt/123rf **94** 2 Matthew Collingwood-Fotolia.com **94** 3 Leonid Nyshko-Fotolia.com **94** 4 Martin Damen/123rf **94, 96** 5,a Mara Zemgaliete-Fotolia.com 94, **96** 6,f Melisback-Fotolia.com **94** 7 claudio calcagno-Fotolia.com **94** 8 Paul Bodea-Fotolia.com **94** 9 utima/123rf **95** 1 Thierry Hoarau-Fotolia.com **95** 2 jerome signoret-Fotolia.com **95** 3 alexlukin-Fotolia.com **95** 5 KingPhoto-Fotolia.com **95** 6 natika/123rf **96** 3a Mara Zemgaliete-Fotolia.com **98, 100** hmg,3,3 rueangrit-Fotolia.com **98, 100** bg,3c Kerim-Fotolia.com **98** bm Ivan Kurmyshov-Fotolia.com **98, 100** hd, 3b Eric Isselée-Fotolia.com **98** hg Anna Jaworska-Fotolia.com **98, 100** hmc, 3e www.isselee.com-Fotolia.com **98, 100** hmd, 3d www.isselee.com-Fotolia.com **98** mbd Andrey Khrobostov-Fotolia.com **98** mbg Witold Krasowski-Fotolia.com **98** mbm illustrez-vous-Fotolia.com **98** mhd Mara Zemgaliete-Fotolia.com **98** mhg Mara Zemgaliete-Fotolia.com **98** mhmc venge-Fotolia.com **98** mhmg Jacek Chabraszewski-Fotolia.com **98** mhmd Studio Gi-Fotolia.com **99** bg monticellllo-Fotolia.com **99** bm Benjamin Lefebvre-Fotolia.com **99** hd Lukas Gojda-Fotolia.com **99** hg andriigorulko-Fotolia.com **99** hm Mara Zemgaliete-Fotolia.com **99, 100** md, 3a dream79-Fotolia.com **99** mg Evgeny Tomeev-Fotolia.com **100** 3, 2 tarasov_vl-stock.adobe.com **100** 3, 1 HelleM-Fotolia.com **102** hd pgm-Fotolia.com **102** bg illustrez-vous-Fotolia.com **102** bm emmapeel34-stock.adobe.com-Fotolia.com **102, 104** hg, 4c seen-Fotolia.com **102** hm Svetlana Kuznetsova-Fotolia.com **102** md guy-Fotolia.com **102, 104** mg, 4b bigacis-Fotolia.com **102** mm illustrez-vous-Fotolia.com **103** bm volff-Fotolia.com **103, 104** bg, 4a Vladimir Skoptsev-Fotolia.com **103** hd Richard Villalon-Fotolia.com **103** hg winston-Fotolia.com **103** hm Monika Adamczyk-Fotolia.com **103, 104** md, 4d kai-Fotolia.com **103, 104** mg, 4e janvier-Fotolia.com **103, 104** mm, 4f olya6105-Fotolia.com **108** 1,3,6 seregam-Fotolia.com **108** 2 Baiba Opule-Fotolia.com **108** 4 supachai-Fotolia.com **108** 5 stockphoto-graf-Fotolia.com **116** 1 FoodCollection/Photononstop **116** 2 wolna/123rf **116** 3 Anatoly Repin-Fotolia.com **116** 4 Andre-Fotolia.com **116** 5 Tarzhanova-Fotolia.com **128** 1 Sylvie Riviere-Fotolia.com **128** 2 Jasmin Merdan-Fotolia.com **128** 3 Rawpixel.com-Fotolia.com **128** 4 Evgeniy Kalinovskiy-Fotolia.com **128** 5 alvarez/Istock **129, 131** 1, hg milosk/123rf **129** 2 zuchero-Fotolia.com **130** hd DSHover **131** hd B.Grateful-Fotolia.com **132** 4a claudettethebat-Fotolia.com **132** 4b rh2010-Fotolia.com **131, 132** hmg, 4c Goran Bogicevic/123rf **132** 4d Iuliia Sokolovska-Fotolia.com **132** 4f Dmitry Vereshchagin-Fotolia.com **131, 132** hmd, 4e tichr-Fotolia.com **136** 3a DoraZett - stock.adobe.com **136** 3b Kristyna-Fotolia.com **136** 3c arenysam-Fotolia.com **136** 3d Nailia Schwarz-Fotolia.com **136** 3e Luisa23-Fotolia.com **140** bd sdecoret-stock.adobe.com **140** bm Michel Gaillard/Réa **140** mm «Violette»/»Modestie» crée par Séverin Millet © La Poste, 2018 **142** hd Alain Le Bot/Photononstop **142** hg, mhg CNAF **142** mbg Fred Tanneau/Afp **142** mhd Web Buttons Inc-Fotolia.com **143** mm Marta Nascimento/Réa **144** 2,1 Ian Hanning/Réa **144** 2,2 Andrey Popov-Fotolia.com **144** 2,3 Philippe Turpin/Photononstop **144** 2,4 Philippe Turpin/Photononstop **144** 2,5 Pascal Deloche/Godong/Photononstop

DR : Malgré nos efforts, il nous a été impossible de joindre certains photographes ou leurs ayants droit, ainsi que les éditeurs ou leurs ayants droit pour certains documents, afin de solliciter l'autorisation de reproduction, mais nous avons naturellement réservé en notre comptabilité des droits usuels.

PAPIER À BASE DE FIBRES CERTIFIÉES

éditions didier s'engagent pour l'environnement en réduisant l'empreinte carbone de leurs livres. Celle de cet exemplaire est de : 950 g éq. $CO_2$ Rendez-vous sur www.editionsdidier-durable.fr

Édition : Clothilde Mabille / Illustrations : Joëlle Passeron / Couverture : olo.éditions /
Maquette : amarantedesign, adaptation de Créator's Studio / Mise en page : www.creatorsstudio.net



ISBN 978-2-278-09089-1

Achevé d'imprimer en Espagne par Macrolibros en mai 2020 - Dépot légal: 9089/03

# Avant-propos

*Vocabulaire essentiel du français* a été conçu pour l'apprentissage et la maîtrise du lexique du français. Une bonne connaissance du vocabulaire est un élément essentiel pour la compréhension et l'expression écrites ou orales. Grâce à *Vocabulaire essentiel du français* l'apprenant pourra développer rapidement sa compétence à communiquer en français.

**Un ouvrage qui s'adresse à un large public**

• Aux étudiants de français langue étrangère, dès le début de leur apprentissage (niveau A1[1]).
• Aux personnes installées en France ou dans un pays francophone, ou en projet d'installation, et souhaitant mieux maîtriser le français.
• Aux enseignants de français langue étrangère qui pourront l'utiliser comme matériel de cours.

**Un ouvrage visant l'autonomie de l'apprenant**

• Avec *Vocabulaire essentiel du français*, l'apprenant est actif dans son apprentissage. Chaque leçon-thématique propose :
  - une phase d'observation du lexique contextualisé grâce à des dialogues à écouter ou à lire,
  - une phase de réflexion où il est invité à répondre à des questions pour repérer le lexique,
  - une liste de vocabulaire illustré, et de courts dialogues contextualisés, illustrés et enregistrés pour faciliter la compréhension, la mémorisation et la prononciation,
  - des exercices variés de difficulté progressive permettant de s'approprier le lexique, et de l'employer à travers les différentes activités langagières.
• En fin d'ouvrage, les bilans, les corrigés et les transcriptions offrent la possibilité d'une autocorrection et d'une autoévaluation.

**Un outil actuel et complet**

• Cet ouvrage s'articule autour de 33 leçons correspondant aux thématiques recommandées par le référentiel officiel[2] pour le niveau A1. C'est donc un outil qui permet de se préparer efficacement aux examens et tests de français (DELF, TCF, TEF).
• À la démarche systématique est associée une dimension communicative par le biais d'exercices de prise de parole en continu ou en interaction.
• Le vocabulaire est mis en contexte par des dialogues qui proposent des situations propres à la vie quotidienne.
• Le support audio (sur CD mp3 et en ligne à l'adresse www.centpourcentfle.fr) permet l'écoute de tous les dialogues et la mise en œuvre des exercices pour :
  - s'habituer à repérer le lexique dans le flux de l'oral,
  - permettre d'établir le lien entre la graphie et la phonie du français,
  - lier la compréhension et la production orales.
• Le sommaire détaillé facilite le repérage des thématiques et la circulation au sein de l'ouvrage.
• En fin d'ouvrage, un lexique et un sommaire plurilingues pour aider l'apprenant.

Bon apprentissage avec *Vocabulaire essentiel du français* !

Les auteures

---

1. du Cadre européen commun de référence pour les langues
2. *Niveau A1 pour le français. Un Référentiel*, Didier, 2007

# Mode d'emploi

5

...ractéristiques physiques et morales

*Oh, il est beau !*

OBSERVEZ



RÉPONDEZ

1. De quoi ils parlent ?
☐ Du film. ☐ De l'actrice du film.

2. L'actrice est très grande.
☐ Vrai. ☐ Faux.

3. L'actrice est « sympathique » et « belle ». C'est :
☐ positif. ☐ négatif.

29
LES CARACTÉRISTIQUES PHYSIQUES ET MORALES

## LES LEÇONS

→ Une démarche inductive et raisonnée

Une mise en situation du corpus en contexte à lire ou à écouter

Des activités pour découvrir le lexique de la thématique

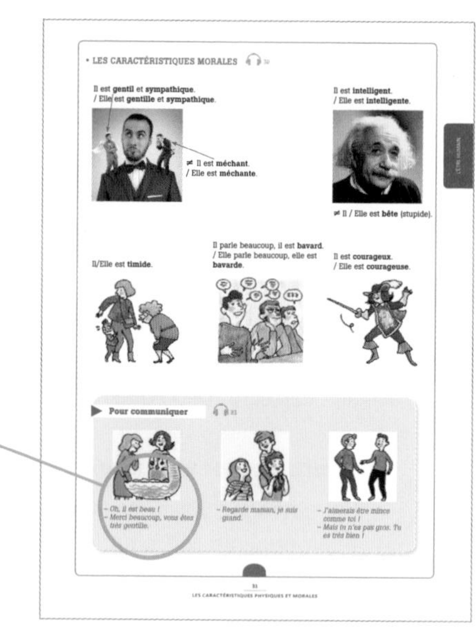
• LES CARACTÉRISTIQUES MORALES

Il est gentil et sympathique. / Elle est gentille et sympathique.

≠ Il est méchant. / Elle est méchante.

Il est intelligent. / Elle est intelligente.

≠ Il / Elle est bête (stupide).

Il/Elle est timide.

Il parle beaucoup, il est bavard. / Elle parle beaucoup, elle est bavarde.

Il est courageux. / Elle est courageuse.

Pour communiquer

– Oh, il est beau !
– Merci beaucoup, vous êtes très gentille.

– Regarde maman, je suis grand.

– J'aimerais être mince comme toi !
– Mais tu n'es pas gros. Tu es très bien !

31
LES CARACTÉRISTIQUES PHYSIQUES ET MORALES

## MÉMORISEZ

→ Un lexique illustré et enregistré

Des dialogues illustrés et enregistrés pour remettre le lexique de la thématique en contexte

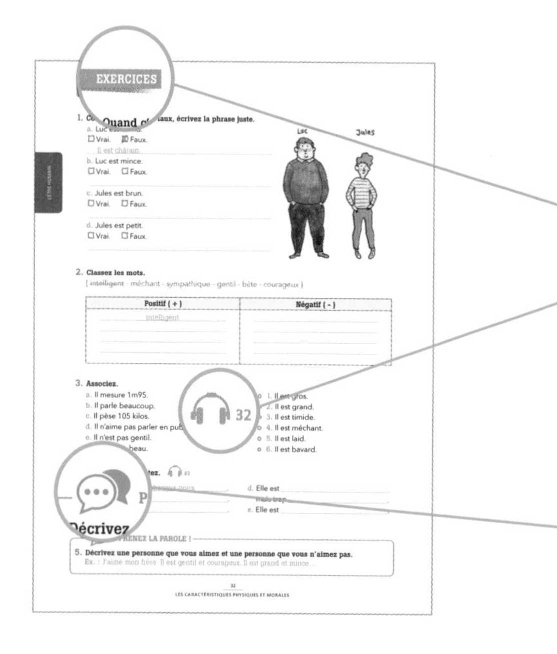
EXERCICES

1. Quand c'est faux, écrivez la phrase juste.
a. Luc est mince.
☐ Vrai. ☒ Faux.
b. Luc est mince.
☐ Vrai. ☐ Faux.
c. Jules est brun.
☐ Vrai. ☐ Faux.
d. Jules est petit.
☐ Vrai. ☐ Faux.



2. Classez les mots.
( intelligent - méchant - sympathique - gentil - bête - courageux )

| Positif ( + ) | Négatif ( - ) |
| --- | --- |
| intelligent | |

3. Associez.
a. Il mesure 1m95.
b. Il parle beaucoup.
c. Il pèse 105 kilos.
d. Il n'aime pas parler en pu...
e. Il n'est pas gentil.
f. ... beau.

1. Il est gros.
2. Il est grand.
3. Il est timide.
4. Il est méchant.
5. Il est laid.
6. Il est bavard.

32

Décrivez

PRENEZ LA PAROLE !

5. Décrivez une personne que vous aimez et une personne que vous n'aimez pas.

32
LES CARACTÉRISTIQUES PHYSIQUES ET MORALES

## LES EXERCICES

→ Des activités variées et de difficulté progressive

Exercices systématiques

Alternance d'activités pour travailler toutes les compétences : compréhension orale et écrite, production orale et écrite

→ Une dimension communicative

À la fin de chaque leçon, un exercice de prise de parole en continu ou en interaction

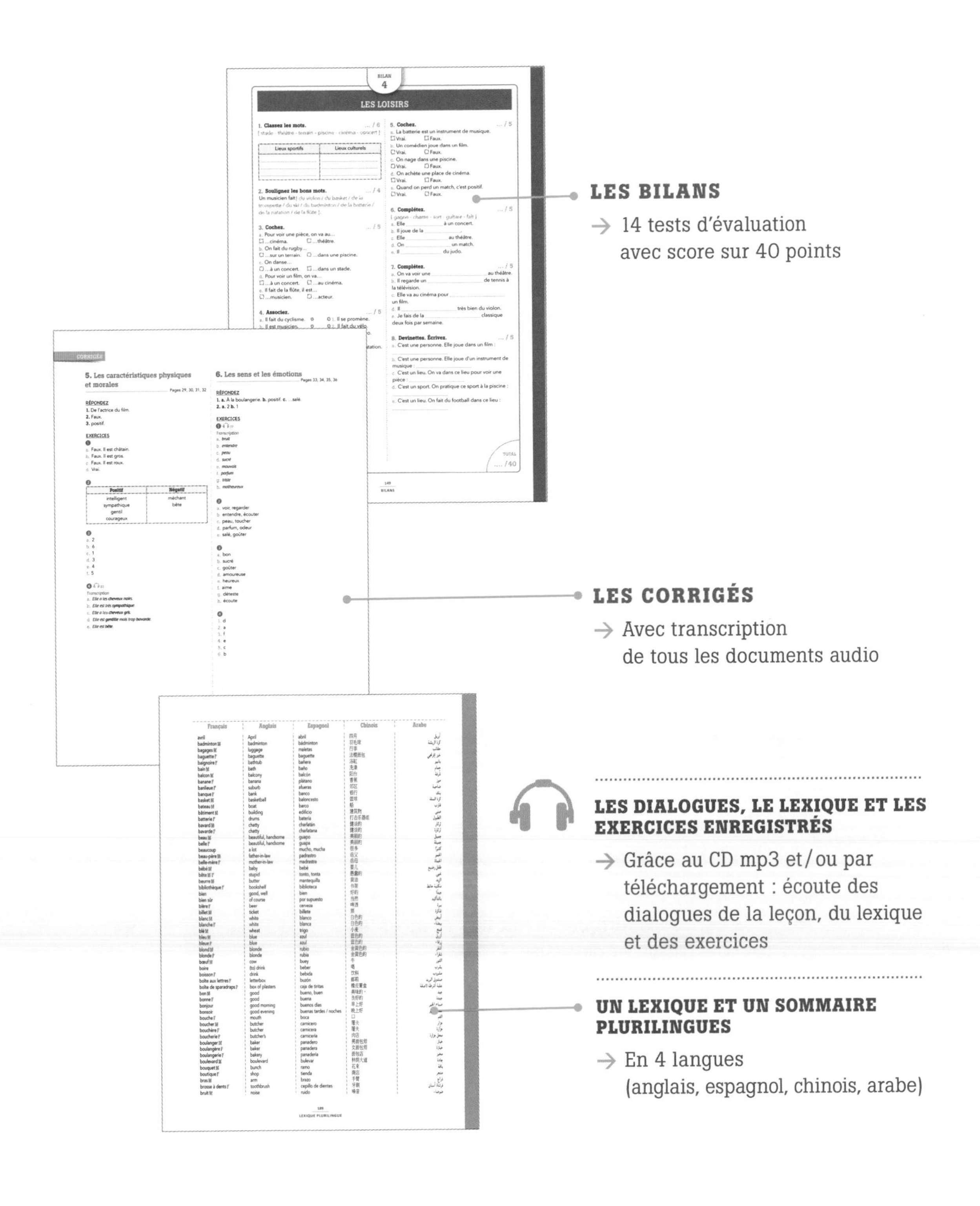


## LES BILANS

→ 14 tests d'évaluation avec score sur 40 points

## LES CORRIGÉS

→ Avec transcription de tous les documents audio

## LES DIALOGUES, LE LEXIQUE ET LES EXERCICES ENREGISTRÉS

→ Grâce au CD mp3 et/ou par téléchargement : écoute des dialogues de la leçon, du lexique et des exercices

## UN LEXIQUE ET UN SOMMAIRE PLURILINGUES

→ En 4 langues (anglais, espagnol, chinois, arabe)

# Sommaire

## LES LOISIRS



## LA VIE QUOTIDIENNE



## L'ÉDUCATION ET LE TRAVAIL



## LE LOGEMENT

## LES COMMERCES



## LA SANTÉ



## LA VILLE ET LA CAMPAGNE



## LA COMMUNICATION ET L'ADMINISTRATION

# Les sons du français

## LES VOYELLES

2

| | LE SON | ÇA S'ÉCRIT… | COMME DANS… |
|---|---|---|---|
| VOYELLES ORALES | [i] | i, î, ï, y | un **l**i**t**, une **î**le, le ma**ï**s, un st**y**lo |
| | [e] | es, er, ez, ed, ef, et<br>e, é, ê, ai, ay<br>est | **les**, parl**er**, un n**ez**, un pi**ed**, une cl**ef**, **et**<br>dessiner, un **été**, fêter, je v**ai**s, payer<br>c'**est** |
| | [ɛ] | è, ê, ei, ai, est | un p**è**re, une f**ê**te, la n**ei**ge, f**ai**re, c'**est** |
| | [a] | a, â, à | Il **a** mangé des p**â**tes **à** l'école. |
| | [y] | u, û, eu | **u**ne j**u**pe, **u**ne fl**û**te, j'ai **eu** |
| | [ə] | e | l**e**, p**e**tit, vendr**e**di |
| | [ø] | eu, œu | p**eu**, une coiff**eu**se, des **œu**fs |
| | [œ] | eu, œu, ue, œ | une p**eu**r, un **œu**f, un acc**ue**il, un **œ**il |
| | [u] | ou, oû, où | une p**ou**le, g**oû**ter, tu vas **où** ? |
| | [o] | o, ô<br>au, eau | une m**o**t**o**, une r**o**se, t**ô**t<br>des journ**au**x, un bat**eau** |
| | [ɔ] | o, u(m) | une p**o**rte |
| VOYELLES NASALES | [ɑ̃] | an, am<br>en, em, (i)ent | s**an**s, une ch**am**bre,<br>l**en**t, le t**em**ps, un cli**ent** |
| | [ɛ̃] | in, im<br>yn, ym, un, um, ein<br>eim, ain, aim, oin<br>(i)en, (y)en, (é)en, en | un mat**in**, **im**portant<br>s**ym**pa, l**un**di, un parf**um**, pl**ein**<br>R**eim**s, une m**ain**, la f**aim**, l**oin**<br>b**ien**, un cito**yen**, cor**éen**, un exam**en** |
| | [ɔ̃] | on, om | ils s**on**t, un n**om** |

## LES SEMI-VOYELLES

3

| | LE SON | ÇA S'ÉCRIT… | COMME DANS… |
|---|---|---|---|
| | [ɥ] | u (+ voyelle orale) | l**ui** |
| | [w] | ou (+ voyelle orale)<br>oi, oy, w | **oui**<br>une v**oi**ture, un cit**oy**en |
| | [j] | i, y (+ voyelle orale)<br>il, ill | un p**i**ed, envo**y**er<br>un trava**il**, une feu**ille** |

## LES CONSONNES

| | LE SON | ÇA S'ÉCRIT... | COMME DANS... |
|---|---|---|---|
| L'AIR SORT D'UN COUP | [p] | p, pp | un **p**ère, a**pp**rendre |
| | [b] | b, bb | un **b**é**b**é |
| | [t] | t, tt, th | une **t**en**t**e, une fourche**tt**e, sympa**th**ique |
| | [d] | d, dd | **d**evant, une a**dd**ition |
| | [k] | ca, co, cu<br>cc, k, qu, ch | un **ca**deau, une **co**uleur<br>un a**cc**ueil, un **k**ilo, pour**qu**oi |
| | [g] | g, ga, go<br>gue, gui | **g**rand, un **gâ**teau, le **goû**ter<br>une ba**gu**ette, une **gu**itare |
| L'AIR SORT EN CONTINU | [f] | f, ff, ph | un ca**f**é, un coi**ff**eur, une **ph**oto |
| | [v] | v, w | un **v**élo |
| | [s] | s, ss<br>sc<br>ç, ci, cy, ce<br>ti (+ voyelle orale), x | **s**el, dan**s**er, un poi**ss**on<br>les **sc**iences<br>**ç**a, un **ci**néma, une bi**cy**clette, **ce**lle<br>une addi**ti**on, di**x** |
| | [z] | z, s | un **z**oo, une u**s**ine |
| | [ʃ] | ch, sch | un **ch**ien |
| | [ʒ] | j<br>gi, gy<br>ge, gea, geo | un **j**ardin<br>un **gî**te<br>man**ge**r, man**geo**ns |
| | /R/ | r, rr, rh | **r**ega**r**der, p**r**end**r**e, un ve**rr**e, un **rh**ume |
| | [l] | l, ll | **l**a, e**ll**e |
| | [m] | m, mm | **m**ais, une fe**mm**e |
| | [n] | n, nn | **n**on, italie**nn**e |

**Progresser en phonétique avec *Phonétique essentielle du français A1/A2*.**
Reproduction des tableaux de l'ouvrage *Phonétique essentielle du français A1/A2* avec l'aimable autorisation des auteures, Chanèze Kamoun et Delphine Ripaud.

# 1



# Les présentations et les salutations

*Et toi, comment tu t'appelles ?*

OBSERVEZ  5

RÉPONDEZ

**1. Cochez.**

**a.** Monsieur Achard téléphone pour un rendez-vous chez le docteur.

☐ Vrai. ☐ Faux.

**b.** Achard est...

☐ ...un prénom. ☐ ...un nom de famille.

**c.** Pour finir une conversation, on utilise :

☐ Bonjour. ☐ Au revoir.

**2. Associez.**

**a.** Monsieur ○ ○ **1.** Sexe féminin ♀

**b.** Madame ○ ○ **2.** Sexe masculin ♂

MÉMORISEZ

## • LES LETTRES DE L'ALPHABET 6

| A | B | C | D | E | F | G | H | I | J | K | L | M |
|---|---|---|---|---|---|---|---|---|---|---|---|---|
| A | B | C | D | E | F | G | H | I | J | K | L | M |
| a | b | c | d | e | f | g | h | i | j | k | l | m |
| a | b | c | d | e | f | g | h | i | j | k | l | m |

| N | O | P | Q | R | S | T | U | V | W | X | Y | Z |
|---|---|---|---|---|---|---|---|---|---|---|---|---|
| N | O | P | Q | R | S | T | U | V | W | X | Y | Z |
| n | o | p | q | r | s | t | u | v | w | x | y | z |
| n | o | p | q | r | s | t | u | v | w | x | y | z |

## • LA POLITESSE ET LES SALUTATIONS 7

Salut.
Bonjour.
Bonsoir.
Au revoir.
S'il te plaît.
S'il vous plaît.
Merci.
Merci monsieur.
Madame !
Oui mademoiselle ?

## • DONNER SON IDENTITÉ  8

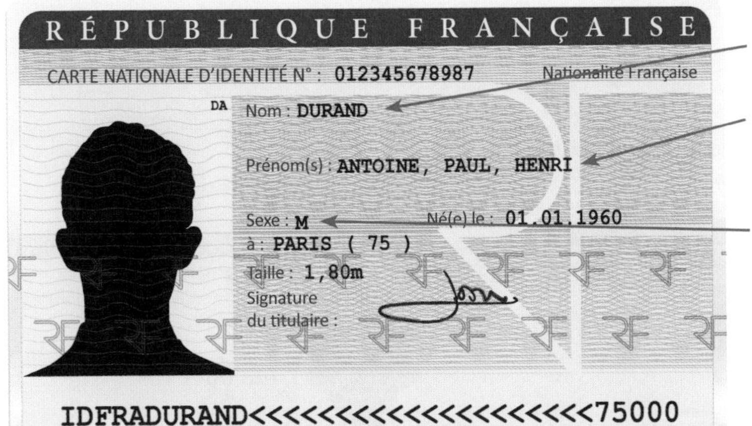
RÉPUBLIQUE FRANÇAISE

CARTE NATIONALE D'IDENTITÉ N° : 012345678987 Nationalité Française

DA

Nom : DURAND

Prénom(s) : ANTOINE, PAUL, HENRI

Sexe : M Né(e) le : 01.01.1960

à : PARIS ( 75 )

Taille : 1,80m

Signature du titulaire :

IDFRADURAND<<<<<<<<<<<<<<<<<<<<<75000

012345678987ANTOINE<<PAUL<<1234567A1

Le **nom (de famille)**

Le(s) **prénom(s)**

Sexe **masculin (M)** ♂
Sexe **féminin (F)** ♀

– Je **m'appelle** Antoine Durand.

– Vous pouvez **épeler** votre nom s'il vous plaît ?

– Oui, D-U-R-A-N-D.

### Pour communiquer 9

*– Je m'appelle Takanori.*
*Et toi, comment tu t'appelles ?*
*– Je m'appelle Marion.*

*– Bonjour.*
*– Bonjour. Votre ticket s'il vous plaît.*

*– Merci, au revoir !*
*– Au revoir !*

## EXERCICES

**1. Écoutez et écrivez.**  10

a. AU REVOIR   c. _ _ _ _ _   e. _ _ _ _ _ _ _ _ _
b. _ _ _ _ _ _ _ _   d. _ _ _ _ _ _ _   f. _ _ _ _ _ _ _ _

**2. Lisez et complétez les cartes d'identité.**

Il s'appelle Christophe Proust.

RÉPUBLIQUE FRANÇAISE
CARTE NATIONALE D'IDENTITÉ N° : 012345678987   Nationalité Française
Nom : Proust
Prénom(s) :
Sexe :   Né(e) le : 01.01.1960
à : PARIS ( 75 )
Taille : 1,80m
Signature du titulaire :
IDFRAPROUST<<<<<<<<<<<<<<<<<<<75000
012345678987CHRISTOPHE<PAUL<1234567A1

Elle s'appelle Florence Dubois.

RÉPUBLIQUE FRANÇAISE
CARTE NATIONALE D'IDENTITÉ N° : 071524304978   Nationalité Française
Nom :
Prénom(s) :
Sexe :   Né(e) le : 16.01.1980
à : PARIS (75)
Taille : 1,65m
Signature du titulaire : F.Dubois
IDFRADUBOIS<<<<<<<<<<<<<<<<<<<328169
0715243049782FLORENCE<<SYLV3582167F3

**3. Associez un mot à une image.**

a. Bonjour.
b. S'il te plaît.
c. Merci.
d. S'il vous plaît.
e. Salut.

1. a

2. ..........

3. ..........

4. ..........

5. ..........

**4. Complétez.**

[ épeler - s'il vous plaît - ~~t'appelles~~ - nom - prénom - mademoiselle ]

a. – Comment tu t'appelles ?
– Je m'appelle Claire.
b. – Quel est votre .......... de famille ?
– Durant.
c. – Vous pouvez .........., s'il vous plaît ?
– D - U - P - O - N - T
d. – Une baguette, .......... .
– 1,80 €.
e. – Bonjour .......... .
– Bonjour monsieur.
f. – Quel est ton .......... ?
– Je m'appelle Stéphanie.

### PRENEZ LA PAROLE !

**5. Deux par deux, épelez votre prénom et votre nom. Votre voisin(e) les écrit.**
Ex. : E-V-A B-E-C-K-E-R, Eva Becker.

2

# La date et le lieu de naissance

*Votre date et lieu de naissance s'il vous plaît ?*

OBSERVEZ 11

Le 5 novembre

RÉPONDEZ

**1. C'est l'anniversaire...**
☐ ...d'Alice. ☐ ...de Sonia.

**2. Alice et Sonia ont 30 ans.**
☐ Vrai. ☐ Faux.

**3. Les 3 amies sont nées en 1988.**
☐ Vrai. ☐ Faux.

**4. Sonia est née en...**
☐ ...septembre. ☐ ...juillet.

MÉMORISEZ

## • LES NOMBRES ET LES ANNÉES  12

**Les nombres**
0 zéro
1 un
2 deux
3 trois
4 quatre
5 cinq
6 six
7 sept
8 huit
9 neuf
10 dix
11 onze
12 douze
13 treize
14 quatorze
15 quinze
16 seize
17 dix-sept
18 dix-huit
19 dix-neuf
20 vingt
21 vingt et un
22 vingt-deux
23 vingt-trois
24 vingt-quatre
25 vingt-cinq
26 vingt-six
27 vingt-sept
28 vingt-huit
29 vingt-neuf
30 trente
31 trente et un
40 quarante
41 quarante et un
42 quarante-deux
50 cinquante
60 soixante
70 soixante-dix
71 soixante et onze
72 soixante-douze
80 quatre-vingts
81 quatre-vingt-un
82 quatre-vingt-deux
90 quatre-vingt-dix
91 quatre-vingt-onze
92 quatre-vingt-douze
100 cent
101 cent un
200 deux cents
202 deux cent deux
300 trois cents
350 trois cent cinquante
400 quatre cents
500 cinq cents
600 six cents
700 sept cents
800 huit cents
900 neuf cents
1 000 mille
2 000 deux-mille

**Les années**
2018 deux mille dix-huit
2019 deux mille dix-neuf
2020 deux mille vingt
2021 deux mille vingt et un

## • LES MOIS ET LES SAISONS  13

## • LES INFORMATIONS PERSONNELLES  14

**Demande de Visa Schengen**

Ce formulaire est gratuit

| | | |
|---|---|---|
| 1. Nom(s) [nom(s) de famille] (x) Tai | | |
| 2. Nom(s) de naissance [nom(s) de famille antérieur(s)] (x) Tai | | |
| 3. Prénom(s) (x) Yuan | | |
| 4. Date de naissance (jour-mois-année) 09/04/2000 | 5. Lieu de naissance : Canton<br>6. Pays de naissance : Chine | 7. Nationalité actuelle : chinoise<br>Nationalité à la naissance, si différente : |

Tai Yuan **est né le** 9 avril 2000 **à** Canton.

**En** 2018, il a 18 **ans**.

Le 9 avril, c'est son **anniversaire**.

### Pour communiquer 15

*– Tu as quel âge ?*
*– J'ai 3 ans.*

*– Votre date et lieu de naissance s'il vous plaît ?*
*– Je suis né le 12 août 1997 à Paris.*

*– C'est quand ton anniversaire ?*
*– En mai, le 12 mai.*
*– Moi, je suis né en hiver, le 23 décembre.*

## EXERCICES

**1. Entourez les 12 mois de l'année.**

| | | | | | | | | | | |
|---|---|---|---|---|---|---|---|---|---|---|
| M | A | I | B | U | E | B | R | E | S | D |
| O | V | N | O | V | E | M | B | R | E | E |
| V | R | T | A | Y | P | A | E | Q | P | C |
| I | I | M | J | U | I | L | L | E | T | E |
| N | L | C | A | O | U | T | I | A | E | M |
| J | U | I | N | E | N | L | C | M | M | B |
| P | F | E | V | R | I | E | R | N | B | R |
| H | S | T | I | O | C | T | O | B | R | E |
| I | R | X | E | T | G | T | E | W | E | D |
| F | M | A | R | S | H | F | S | L | J | K |

**2. Écoutez et entourez les nombres que vous entendez.**  16

| | | | | | |
|---|---|---|---|---|---|
| 32 | 16 | 15 | 80 | 2019 | 13 |
| 2009 | 2013 | 3 | 2002 | 2022 | 78 |
| 116 | 61 | 1000 | 6 | 71 | 20 |
| (5) | 89 | 100 | 21 | 99 | 2030 |

**3. Classez les dates.**

[ ~~le 21 septembre~~ - le 4 avril - le 28 novembre - le 30 janvier - le 21 décembre - le 15 août - le 20 mars - le 21 juin - le 22 février - le 3 octobre - le 2 mai - le 14 juillet ]

| L'hiver | Le printemps | L'été | L'automne |
|---|---|---|---|
| - ............ | - ............ | - ............ | - le 21 septembre |
| - ............ | - ............ | - ............ | - ............ |
| - ............ | - ............ | - ............ | - ............ |

**4. Lisez le document et répondez aux questions.**

| ACTE DE NAISSANCE | | |
|---|---|---|
| NOM : LEPIC | Né(e) le : 04 / 08 / 1984 | à : Nice |
| Prénom : Yves-Marie | Nationalité : française | Sexe : Masculin |

a. Il est né quel mois ? En août.

b. En quelle saison il est né ? ............

c. En quelle année il est né ? ............

d. Quelle est sa date d'anniversaire ? ............

e. Quel est son lieu de naissance ? ............

**PRENEZ LA PAROLE !**

**5. Deux par deux, présentez-vous (âge, lieu et date de naissance...).**

**Ex. :** Je m'appelle Esther, je suis née...

3

# La nationalité et l'adresse

*Moi, je suis française, j'habite à Marseille.*

OBSERVEZ  17

RÉPONDEZ

**1. Cochez.**

**a.** Ils parlent de leur adresse.

☐ Vrai. ☐ Faux.

**b.** Edgar habite au deuxième étage.

☐ Vrai. ☐ Faux.

**2. Associez.**

| | | |
|---|---|---|
| **a.** L'adresse d'Edgar est... | ○ ○ | **1.** ...2, rue La Fayette. |
| **b.** Jules habite... | ○ ○ | **2.** ...place Victor Hugo. |

MÉMORISEZ

## • LES PAYS ET LES NATIONALITÉS  18

| | | | |
|---|---|---|---|
| | Il est **français,**<br>elle est **française**.<br>Il / Elle **habite** / **vit** en **France**. | | Il est **égyptien,**<br>elle est **égyptienne**.<br>Il / Elle habite / vit en **Égypte**. |
| | Il est **chinois,**<br>elle est **chinoise**.<br>Il / Elle habite / vit en **Chine**. | | Il est **marocain,**<br>elle est **marocaine**.<br>Il / Elle habite / vit au **Maroc**. |
| | Il / Elle est **russe**.<br>Il /Elle habite / vit en **Russie**. | | Il est **algérien,**<br>elle est **algérienne**.<br>Il / Elle habite / vit en **Algérie**. |
| | Il est **anglais,**<br>elle est **anglaise**.<br>Il / Elle habite / vit en **Angleterre**. | | Il est **coréen,**<br>elle est **coréenne**.<br>Il / Elle habite / vit en **Corée du Sud**. |
| | Il est **japonais,**<br>elle est **japonaise**.<br>Il / Elle habite / vit au **Japon**. | | Il est **turc,**<br>elle est **turque**.<br>Il / Elle habite / vit en **Turquie**. |
| | Il est **libanais,**<br>elle est **libanaise**.<br>Il / Elle habite / vit au **Liban**. | | Il est **américain,**<br>elle est **américaine**.<br>Il / Elle habite / vit aux **États-Unis**. |
| | Il est **vietnamien,**<br>elle est **vietnamienne**.<br>Il / Elle habite / vit au **Vietnam**. | | Il est **canadien,**<br>elle est **canadienne**.<br>Il / Elle habite / vit au **Canada**. |
| | Il est **espagnol,**<br>elle est **espagnole**.<br>Il / Elle habite / vit en **Espagne**. | | Il est **allemand,**<br>elle est **allemande**.<br>Il / Elle habite / vit en **Allemagne**. |
| | Il est **saoudien,**<br>elle est **saoudienne**.<br>Il / Elle habite / vit en **Arabie Saoudite**. | | Il est **nigérian,**<br>elle est **nigériane**.<br>Il / Elle habite / vit au **Nigéria**. |

## • L'ADRESSE  19

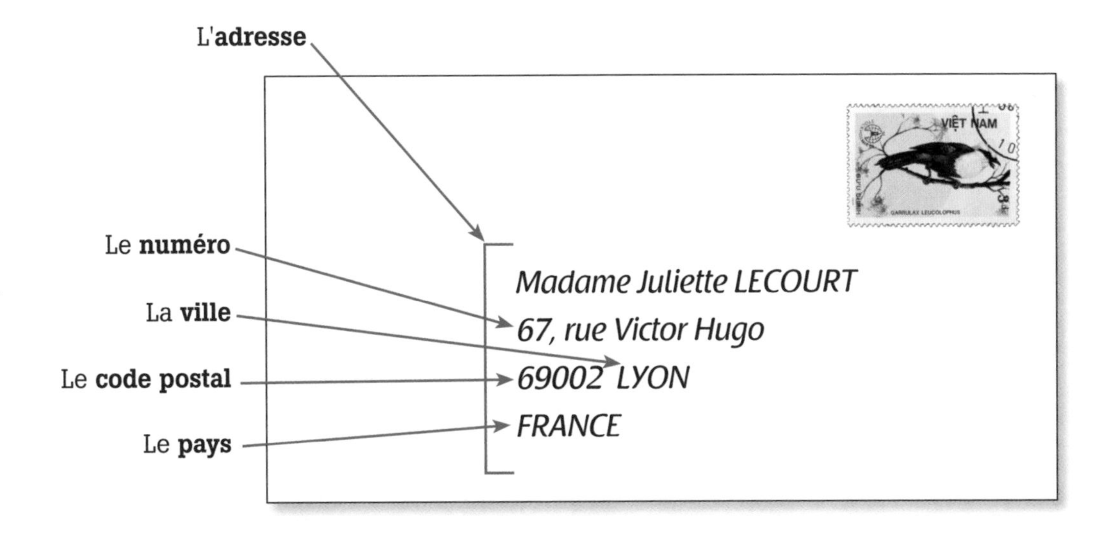

Edgar habite rue La Fayette, au quatrième **étage**.

une **rue** < une **avenue** < un **boulevard**

### Pour communiquer  20

– *Je m'appelle Noah, je suis canadien.*
– *Je m'appelle Tin, je suis vietnamien.*

– *Ah, vous êtes égyptienne !*
– *Oui, je suis égyptienne mais je vis en France. Et vous ?*
– *Moi, je suis française, j'habite à Marseille.*

– *Une pizza quatre fromages, s'il vous plaît.*
– *Quelle est votre adresse ?*
– *J'habite au 14, boulevard Foch.*

## EXERCICES

**1. Séparez les mots.**

rue/avenueboulevardvivreplacehabiterétagenuméro

**2. Complétez avec les nationalités.**

a. Il est né au Canada. Il est ........canadien........ .
b. Elle est née au Liban. Elle est ................................ .
c. Elle est née en Arabie Saoudite. Elle est ................................ .
d. Il est né en Turquie. Il est ................................ .
e. Il est né au Japon. Il est ................................ .
f. Elle est née au Vietnam. Elle est ................................ .

**3. Écoutez et associez chaque phrase à un drapeau.**  21

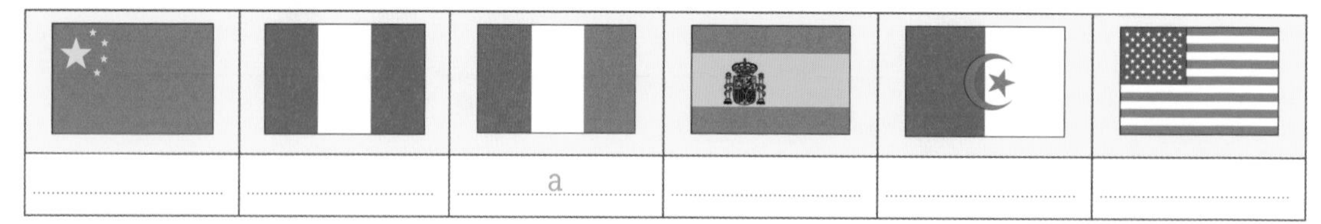

| | | | | | |
|---|---|---|---|---|---|
| ........ | ........ | ....a.... | ........ | ........ | ........ |

**4. Répondez aux questions.**

*Monsieur et Madame BRUN*
*9, boulevard Lesdiguières*
*33200 BORDEAUX*
*FRANCE*

a. Quelle est l'adresse complète de monsieur et madame Brun ? ....9, boulevard Lesdiguières, 33200 Bordeaux, France....
b. Ils habitent dans une rue ? ................................
c. À quel numéro ils habitent ? ................................
d. Dans quelle ville ils vivent ? ................................
e. Quel est le code postal de cette ville ? ................................
f. Dans quel pays ils vivent ? ................................

**PRENEZ LA PAROLE !**

**5. Demandez à votre voisin(e) sa nationalité, son adresse, à quel étage il habite, etc.**
**Ex. :** Quelle est ta nationalité ?

# 4

# Le corps humain

*Donne-moi la main !*



OBSERVEZ  22

RÉPONDEZ

**1. Elle dessine une personne.**

☐ Vrai. ☐ Faux.

**2. Les cheveux et les yeux sont bien dessinés.**

☐ Vrai. ☐ Faux.

**3. Le nez est fini.**

☐ Vrai. ☐ Faux.

MÉMORISEZ

## • LES PERSONNES  23

Un **homme**

Une **femme**

Une **fille**

Un **garçon**

Un homme est de **sexe** masculin, une femme est de sexe féminin.

## • LE CORPS  24

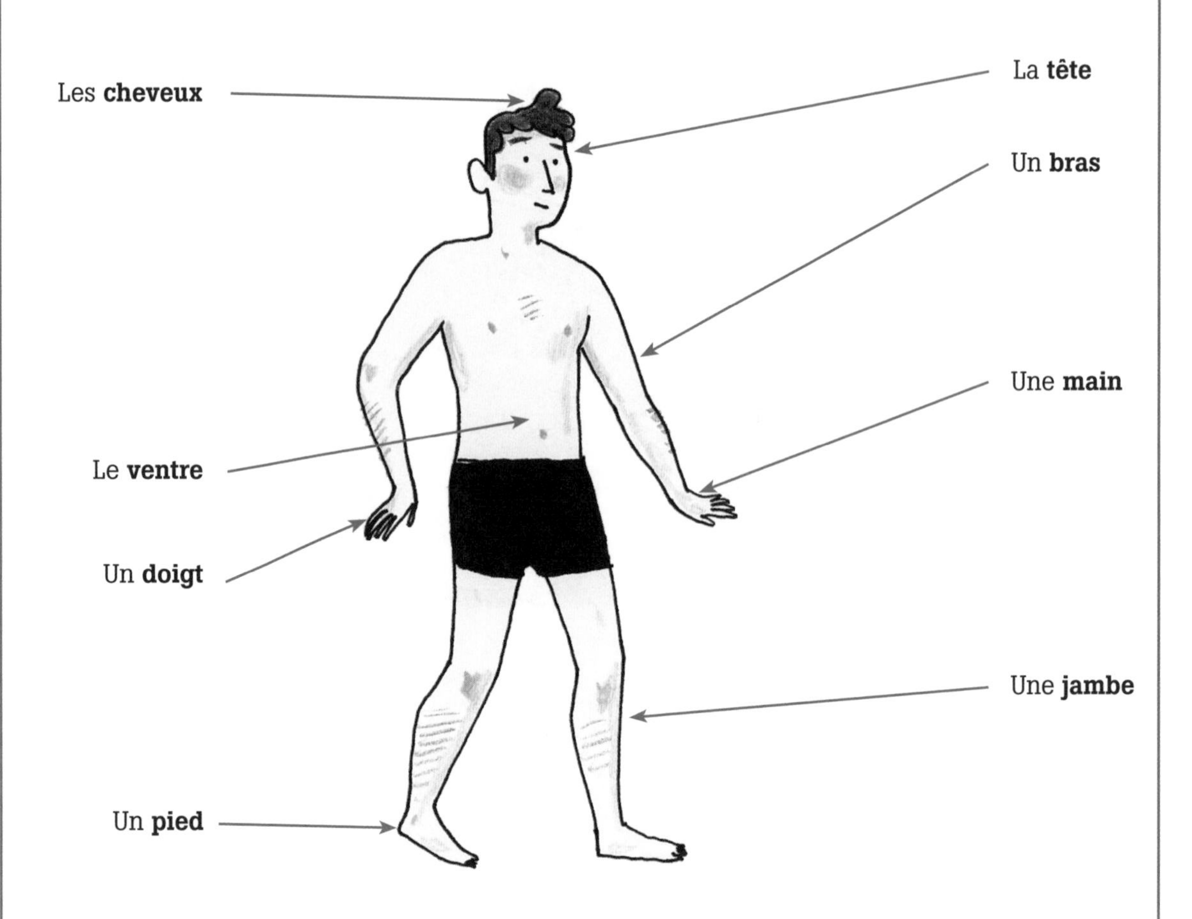


Il a des cheveux sur la tête.
Il a 5 doigts sur une main.

## • LA TÊTE  25

Un **œil**

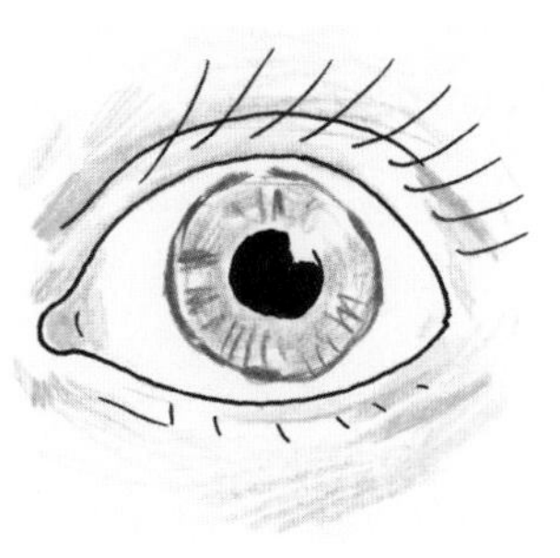

Des **yeux**

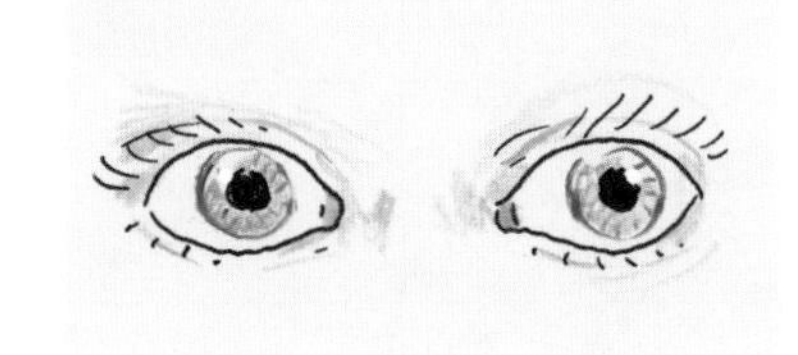

Le **nez**

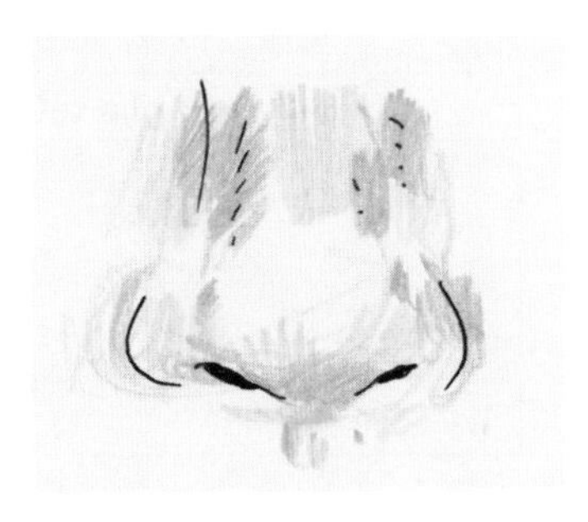

Une **oreille**

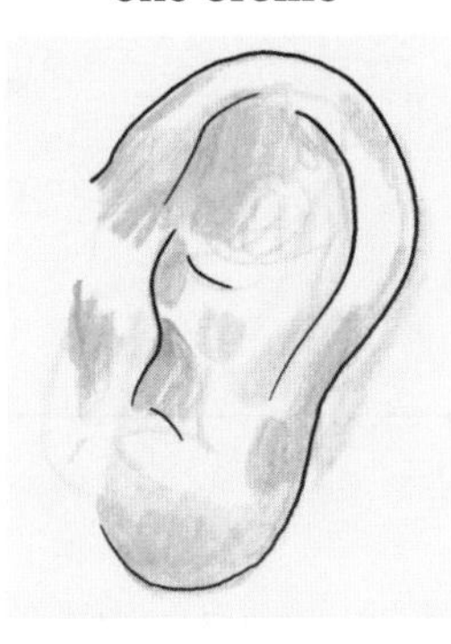

La **bouche**

Les **dents**

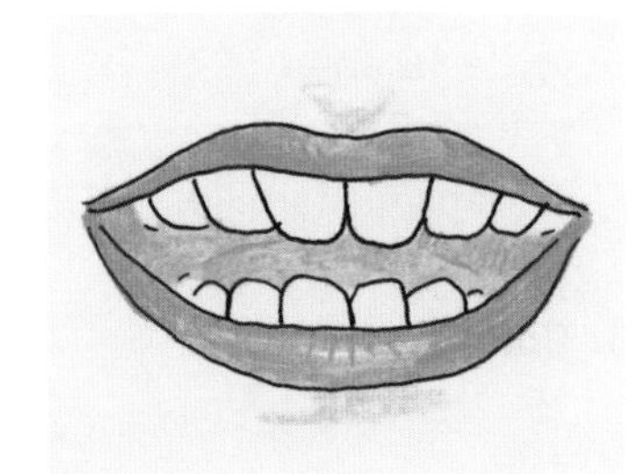

Dans la bouche, il y a 32 dents.

### ▶ Pour communiquer  26

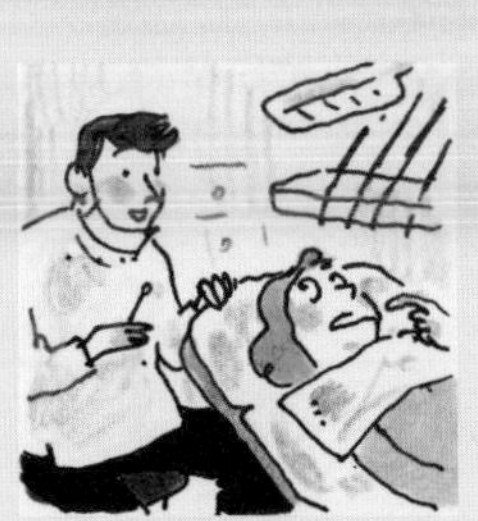

- *J'ai mal à une dent.*
- *Ouvrez la bouche. Je vais regarder.*

- *Et ça c'est quoi ?*
- *L'oreille !*
- *Mais non ! Qu'est-ce que c'est ?*
- *Le nez !*
- *Très bien !*

- *Donne-moi la main !*
- *Non !*
- *Si, tu me donnes la main pour traverser.*

## EXERCICES

**1. Classez les mots.**

[ ~~les yeux~~ - la bouche - le bras - la jambe - le doigt - la main - l'oreille - les cheveux ]

| La tête | Le corps |
|---|---|
| les yeux | |
| | |
| | |
| | |

**2. Écoutez et complétez.**  27

a. C'est une belle ..........femme.......... .

b. J'ai un .................... de 10 ans.

c. Il y a 5 .................... dans ma famille.

d. C'est un .................... très gentil.

e. Comment s'appelle ta .................... ?

f. .................... féminin ou masculin ?

**3. Complétez.**

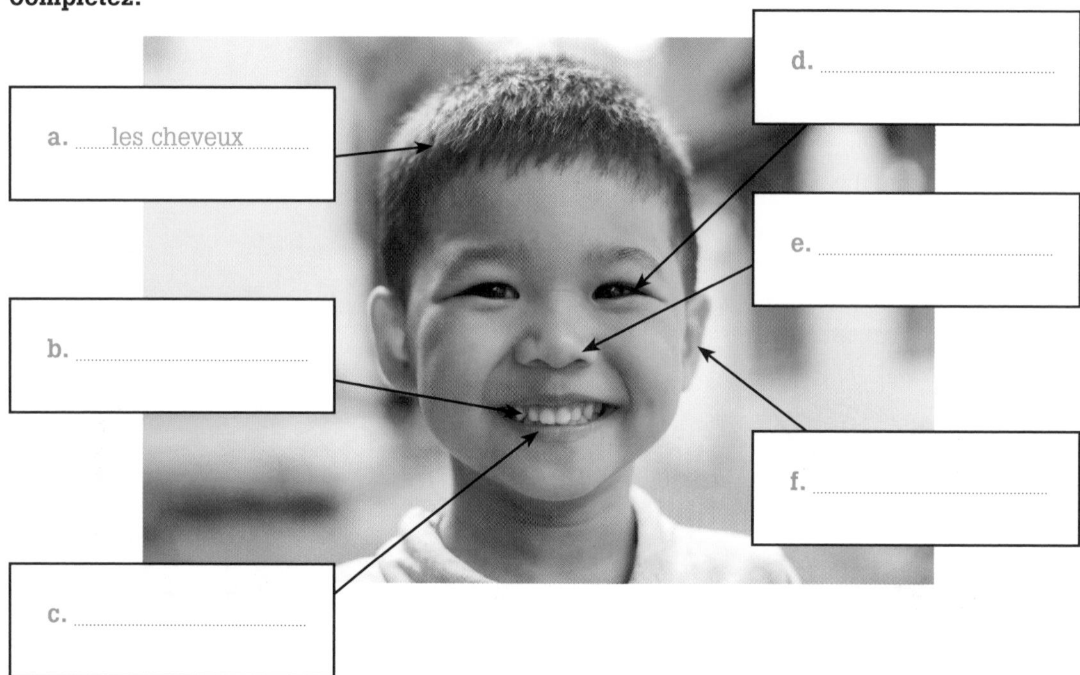

### PRENEZ LA PAROLE !

**4. En petits groupes, montrez une partie du corps ou du visage, les autres la prononcent le plus vite possible.**

Ex. : Le bras !

# 5

# Les caractéristiques physiques et morales

*Oh, il est beau !*

## OBSERVEZ  28

## RÉPONDEZ

**1. De quoi ils parlent ?**

☐ Du film. ☐ De l'actrice du film.

**2. L'actrice est très grande.**

☐ Vrai. ☐ Faux.

**3. L'actrice est « sympathique » et « belle ». C'est :**

☐ positif. ☐ négatif.

L'ÊTRE HUMAIN

MÉMORISEZ

## • LES CARACTÉRISTIQUES PHYSIQUES 

Elle est **belle**.

Il est **beau**.

≠

Elle n'est pas belle. / Elle est **laide**.

Il n'est pas beau. / Il est **laid**.

Il est **grand**. / Elle est **grande**.
Il / Elle **mesure** 1m90 (1 **mètre** 90 **centimètres**).

Il est **petit**. / Elle est **petite**.
Il / Elle mesure 1m40.

Il est **gros**. / Elle est **grosse**.
Il **pèse** 100 kg. / Elle pèse 85 kg (**kilos**).

Il / Elle est **mince**.
Il pèse 75 kg. / Elle pèse 55 kg.

Il / Elle est **maigre**.

Il pèse 60 kg. / Elle pèse 45 kg.

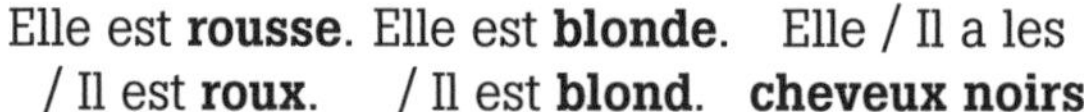

| Elle est **brune**. / Il est **brun**. | Elle / Il est **chatain**. | Elle est **rousse**. / Il est **roux**. | Elle est **blonde**. / Il est **blond**. | Elle / Il a les **cheveux noirs**. | Elle / Il a les **cheveux gris**. |
|---|---|---|---|---|---|
|  |  |  |  |  |  |

## • LES CARACTÉRISTIQUES MORALES  30

Il est **gentil** et **sympathique**.
/ Elle est **gentille** et **sympathique**.

≠ Il est **méchant**.
/ Elle est **méchante**.

Il est **intelligent**.
/ Elle est **intelligente**.

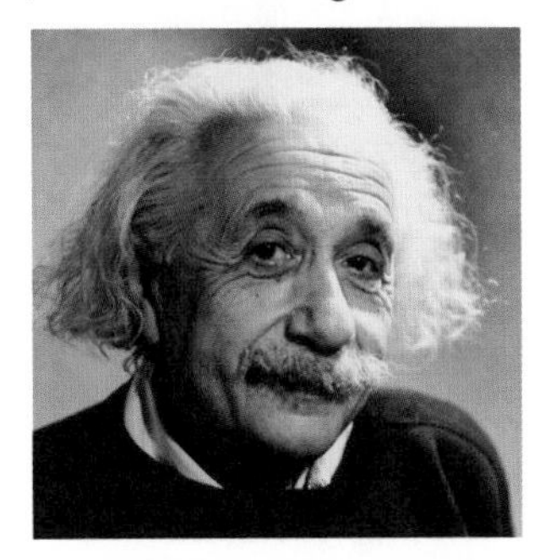

≠ Il / Elle est **bête** (stupide).

Il / Elle est **timide**.

Il parle beaucoup, il est **bavard**.
/ Elle parle beaucoup, elle est **bavarde**.

Il est **courageux**.
/ Elle est **courageuse**.

### Pour communiquer 31

– *Oh, il est beau !*
– *Merci beaucoup, vous êtes très gentille.*

– *Regarde maman, je suis grand.*

– *J'aimerais être mince comme toi !*
– *Mais tu n'es pas gros. Tu es très bien !*

## EXERCICES



**1. Cochez. Quand c'est faux, écrivez la phrase juste.**

a. Luc est blond.
☐ Vrai. ☒ Faux.
Il est châtain.

b. Luc est mince.
☐ Vrai. ☐ Faux.
..........

c. Jules est brun.
☐ Vrai. ☐ Faux.
..........

d. Jules est petit.
☐ Vrai. ☐ Faux.
..........

Luc Jules

**2. Classez les mots.**

[ ~~intelligent~~ - méchant - sympathique - gentil - bête - courageux ]

| Positif ( + ) | Négatif ( - ) |
|---|---|
| intelligent | .......... |
| .......... | .......... |
| .......... | .......... |
| .......... | .......... |

**3. Associez.**

a. Il mesure 1m95. ○ → ○ 2. Il est grand.

| | |
|---|---|
| a. Il mesure 1m95. | 1. Il est gros. |
| b. Il parle beaucoup. | 2. Il est grand. |
| c. Il pèse 105 kilos. | 3. Il est timide. |
| d. Il n'aime pas parler en public. | 4. Il est méchant. |
| e. Il n'est pas gentil. | 5. Il est laid. |
| f. Il n'est pas beau. | 6. Il est bavard. |

**4. Écoutez et complétez.** 32

a. Elle a les cheveux noirs.
b. Elle est très ..........
c. Elle a les ..........
d. Elle est .......... mais trop ..........
e. Elle est ..........

**PRENEZ LA PAROLE !**

**5. Décrivez une personne que vous aimez et une personne que vous n'aimez pas.**
**Ex. :** J'aime mon frère. Il est gentil et courageux. Il est grand et mince…

6

# Les sens et les émotions

*Hum, ça sent bon !*

OBSERVEZ  33

*Hum ! Ça **sent bon** !*
*Je vais prendre un croissant et toi ?*
Moi, ***je n'aime pas*** le ***sucré***, je préfère manger ***salé***.
Je vais ***goûter*** le sandwich au poulet.


RÉPONDEZ

**1. Cochez.**

**a.** Ils sont où ?

☐ À la boulangerie. ☐ À la cafétéria.

**b.** « Ça sent bon », c'est :

☐ positif. ☐ négatif.

**c.** L'homme préfère manger…

☐ …sucré. ☐ …salé.

**2. Associez.**

| | | | |
|---|---|---|---|
| **a.** Un croissant, c'est... | ○ | ○ | **1.** ...salé. |
| **b.** Un sandwich, c'est... | ○ | ○ | **2.** ...sucré. |

MÉMORISEZ

## • LES SENS  34

Elles **regardent** la vitrine (avec attention).

Elle ne **voit** pas bien. Elle porte des lunettes.

Il y a du **bruit**.

Il n'**entend** pas bien.

Elle **écoute** de la musique (avec attention).

Le bébé a la **peau** douce.

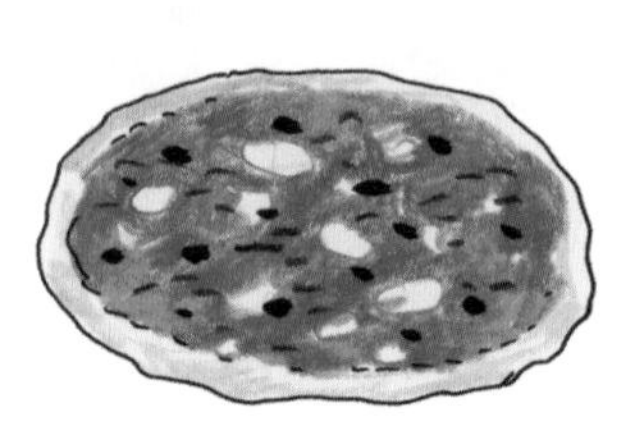

Une pizza, c'est **salé**.

Un gâteau, c'est **sucré**.

Ne pas **toucher** s'il vous plaît.

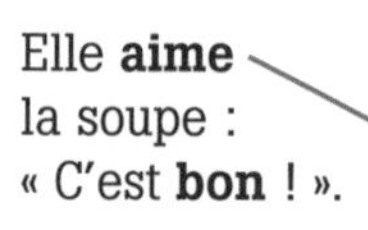

Elle **aime** la soupe : « C'est **bon** ! ».

Il **déteste** la soupe.

Les enfants **goûtent** la soupe.

Une fleur, ça **sent bon**.

Ça **sent mauvais** !

Un **parfum** a une bonne **odeur**.



## • LES ÉMOTIONS 

Il est **content**. / Elle est **contente**.
Il est **heureux** (très content). / Elle est **heureuse**.

Il / Elle est **triste**.
Il est **malheureux** (très triste). / Elle est **malheureuse**.

Il est **amoureux**. / Elle est **amoureuse** :
ils s'aiment. C'est l'**amour** !

Quel **dommage** !

### Pour communiquer 

*– Sens ! Tu aimes ?*
*– Hum, ça sent bon ! Ce parfum est parfait pour toi !*

*– Je vais écouter cet album.*
*– C'est quoi ?*
*– Du rock.*

*– C'est les vacances ! Je suis contente !*
*– Moi aussi, je suis content ! J'aime le soleil et la mer !*

## EXERCICES

**1. Écoutez et écrivez.** 

a. T B I U R : BRUIT

b. N N T E E R E D : ..............................

c. A P E U : ..............................

d. É S C R U : ..............................

e. A S A M U V I : ..............................

f. F A R P U M : ..............................

g. T E R T I S : ..............................

h. L E U M H E A X R U : ..............................

**2. Classez les mots.**

[ ~~entendre~~ – voir – parfum – peau – toucher – écouter – regarder – salé – odeur – goûter ]

| a. | b. | c. | d. | e. |
|---|---|---|---|---|
| .............. | entendre | .............. | .............. | .............. |
| .............. | .............. | .............. | .............. | .............. |

**3. Complétez.**

[ ~~bon~~ – écoute – amoureuse – sucré – déteste – heureux – goûter – aime ]

a. Hum ! Ça sent bon le café !

b. Le gâteau est bon mais il est trop .............................. .

c. Tu veux .............................. ? C'est délicieux !

d. Elle est .............................. de Paul.

e. Il est .............................. . Il se marie demain !

f. Je n'.............................. pas la soupe.

g. Il .............................. le bruit.

h. Il .............................. du rock.

**4. Associez.**

a. Il est content.

b. C'est dommage.

c. Il a la peau douce.

d. Ça sent mauvais.

e. C'est l'amour !

f. Elle est triste.

1. ..............................

2. a

3. ..............................

4. ..............................

5. ..............................

6. ..............................

**PRENEZ LA PAROLE !**

**5. Posez des questions à partir des mots : regarder, écouter, salé, sucré, parfum, content.**

Ex. : Tu regardes la télévision française ?

7

# La famille

*Tu as des frères et sœurs ?*

OBSERVEZ  38

RÉPONDEZ

**1. Lili a deux enfants.**

☐ Vrai. ☐ Faux.

**2. C'est la photo d'anniversaire de…**

☐ …la fille de Lili. ☐ …la mère de Lili.

**3. Sandra ressemble à Lili.**

☐ Vrai. ☐ Faux.

MÉMORISEZ



## • LES MEMBRES DE LA FAMILLE

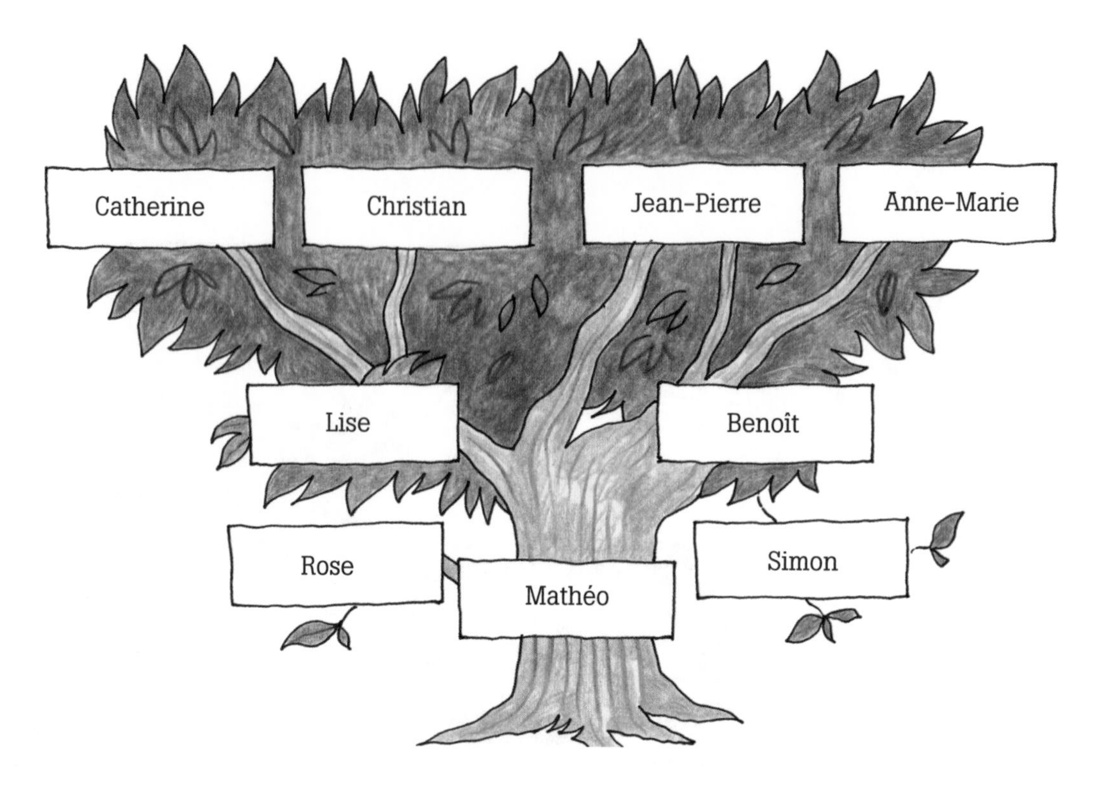


Je m'appelle Mathéo. Ma **mère** (ma **maman**) s'appelle Lise et mon **père** (mon **papa**) s'appelle Benoît. Mes **parents** ont trois **enfants**, deux **fils** (mon **frère** Simon et moi) et une **fille** (ma **sœur** Rose).
Les parents de ma mère s'appellent Catherine et Christian. Ce sont mes **grands-parents** et je suis leur **petit-fils**. Rose est leur **petite-fille**.
Mon deuxième **grand-père** s'appelle Jean-Pierre. C'est le **beau-père** de ma mère. Ma deuxième **grand-mère** s'appelle Anne-Marie. C'est la **belle-mère** de ma mère. Jean-Pierre et Anne-Marie sont les **beaux-parents** de ma mère.

## • LE COUPLE

Ils sont en **couple**.

Ils **se marient**. C'est un beau **mariage**.
Ils sont **mari** et **femme** maintenant.

## • LA SITUATION FAMILIALE

Il / Elle est **marié(e)**.

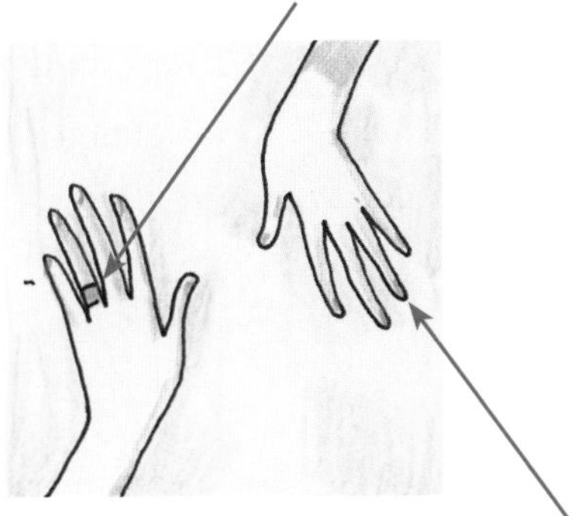

≠ Il / Elle est seul(e). Il / Elle est **célibataire**.

Il / Elle est **divorcé(e)**.

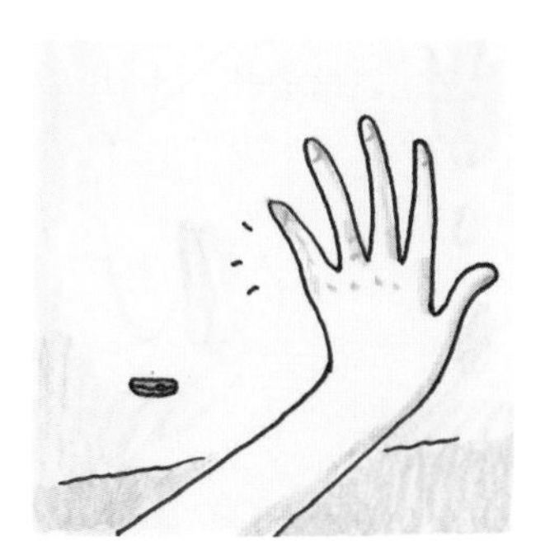

Sa femme est morte. Il est **veuf**.

Son mari est mort. Elle est **veuve**.

### Pour communiquer 42

– *Regarde papa, elle arrive maman !*

– *Ah, regarde, il y a mon frère !*
– *Tu as combien de frères ?*
– *Deux. Et toi, tu as des frères et sœurs ?*

– *Ma fille va se marier cet été !*
– *Ah, félicitations ! Il est comment son futur mari ?*

## EXERCICES

**1. Écoutez et complétez.** 43

a. Il est ......veuf...... .
b. Ma ............ s'appelle Martha.
c. Je n'ai pas de ............ mais j'ai une ............ .
d. Mon ............ est professeur.
e. Ma ............ est très gentille.
f. Il a deux ............ , un ............ et une fille.
g. Il va chez ses ............ .
h. Mon ............ est musicien.

**2. Associez.**

a. Elle n'est pas mariée. o
b. C'est le père de mon père. o
c. Son mari est mort. o
d. Leur mariage est fini. o
e. Ce sont mes enfants. o
f. C'est la femme de mon père. o

o 1. Elle est veuve.
o 2. Ils sont divorcés.
o 3. C'est ma fille et mon fils.
o 4. Elle est célibataire.
o 5. C'est ma mère.
o 6. C'est mon grand-père.

**3. Cochez. Quand c'est faux, écrivez la phrase juste.**

a. Ma belle-mère est la mère de ma mère.
☐ Vrai. ☒ Faux.
C'est la mère de mon mari.

b. Mon petit-fils est le père de ma mère.
☐ Vrai. ☐ Faux.
............

c. J'appelle ma mère « maman ».
☐ Vrai. ☐ Faux.
............

d. Les parents de mon père sont mes grands-parents.
☐ Vrai. ☐ Faux.
............

e. Ils sont mariés. Ils sont mari et femme.
☐ Vrai. ☐ Faux.
............

f. Mon frère est le fils de ma grand-mère.
☐ Vrai. ☐ Faux.
............

**4. Lisez le texte et écrivez les prénoms des personnes.**

Je m'appelle Anna et j'ai 6 ans. Mon père s'appelle Jean, ma mère s'appelle Alexandra. Mes parents ont trois enfants : Lena, ma sœur, Daniel, mon frère, et moi. Lena a 1 an et Daniel a 7 ans. Mon grand-père s'appelle Raphaël et ma grand-mère s'appelle Jeannette.

a. ............
b. ............
c. ............
d. ............
e. ............
f. ......Anna......
g. ............

**PRENEZ LA PAROLE !**

**5. Présentez votre famille à votre voisin(e).**

**Ex. :** J'ai une grande famille. Mon père s'appelle Luc, ma mère s'appelle Jeanne.

# Les activités sportives

*Tu fais du sport ?*

OBSERVEZ  44

RÉPONDEZ

**1. Ils sont devant la piscine.**
☐ Vrai. ☐ Faux.

**2. Thibault n'aime pas nager.**
☐ Vrai. ☐ Faux.

**3. Célia fait de la natation aussi.**
☐ Vrai. ☐ Faux.

MÉMORISEZ

## • LES SPORTS  45

On **fait** du **football**.
/ On **joue** au football.

On fait de la **danse**.
/ On **danse**.

On fait de la **natation**.
/ On **nage**.

On fait du **rugby**.
/ On joue au rugby.

On fait du **badminton**.
/ On joue au badminton.

On fait du **tennis**.
/ On joue au tennis.

On fait du **judo**.

On fait du **basket**.
/ On joue au basket.

On fait du **ski**.
/ On **skie**.

On fait du **vélo**.
/ On fait du **cyclisme**.

On fait de la **course à pied**.
/ On **court**.

On fait de la **marche** à pied.
/ On **se promène**.

## • LES LIEUX  46

On joue au football ou au rugby sur un **terrain** ou dans un **stade**.

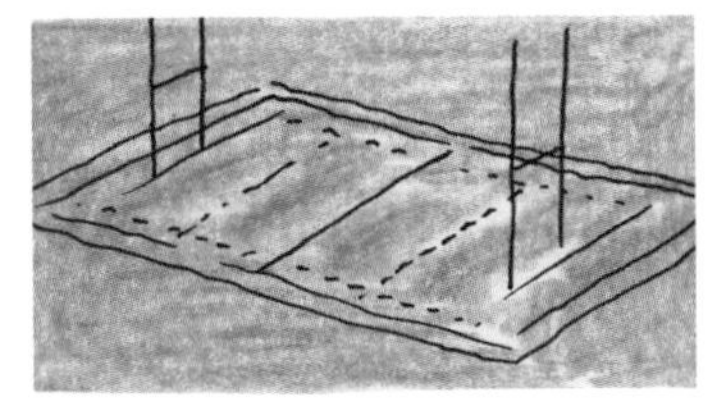

On fait de la natation dans une **piscine**.

## • LES RENCONTRES SPORTIVES  47

Il regarde un **match** à la télévision.

On **gagne** un match ou on **perd** un match.

### Pour communiquer  48

*– Tu fais du sport ?*
*– Oui, je fais de la danse classique. Et toi ?*
*– Je joue au foot.*

*– La France joue contre l'Espagne samedi. Tu vas regarder le match ?*
*– Oui, bien sûr !*

*– On va à la piscine ce week-end ?*
*– Oh, non, je ne sais pas nager.*

## EXERCICES

**1. Écoutez. Dans quelle phrase vous entendez ces mots ?** 49

| stade | course | match | badminton | perd | terrain | judo |
|---|---|---|---|---|---|---|
| ........ | ........ | a | ........ | ........ | ........ | ........ |

**2. Associez.**

a.  ○ — ○ 1. le badminton

b.  ○ — ○ 2. le ski

c.  ○ — ○ 3. la danse

d.  ○ — ○ 4. le basket

e.  ○ — ○ 5. le football

f.  ○ — ○ 6. le rugby

g.  ○ — ○ 7. le judo

h.  ○ — ○ 8. le tennis

**3. Cochez.**

a. Il fait du cyclisme.
- ☐ Il joue au tennis.
- ☒ Il fait du vélo.

b. Il va à la piscine.
- ☐ Il fait de la natation.
- ☐ Il fait de la danse.

c. Il fait de la marche à pied.
- ☐ Il court.
- ☐ Il se promène.

d. Il fait de la course à pied.
- ☐ Il court.
- ☐ Il se promène.

e. Il joue sur un terrain.
- ☐ Il fait de la danse.
- ☐ Il fait du rugby.

f. Quand on gagne, c'est :
- ☐ positif.
- ☐ négatif.

**PRENEZ LA PAROLE !**

**4. Échangez dans la classe. Vous faites du sport ? Quel(s) sport(s) ?**

**Ex. :** Je joue au foot une fois par semaine et toi ?

# Les activités culturelles

*On sort ce soir ?*

OBSERVEZ  50

RÉPONDEZ

**1. Elles sont devant l'opéra.**
☐ Vrai. ☐ Faux.

**2. Elles aiment ces musiciens.**
☐ Vrai. ☐ Faux.

**3. Le piano est un instrument de musique.**
☐ Vrai. ☐ Faux.

MÉMORISEZ

## • LA MUSIQUE 51

• Les **instruments**

Un **piano**

Une **guitare**

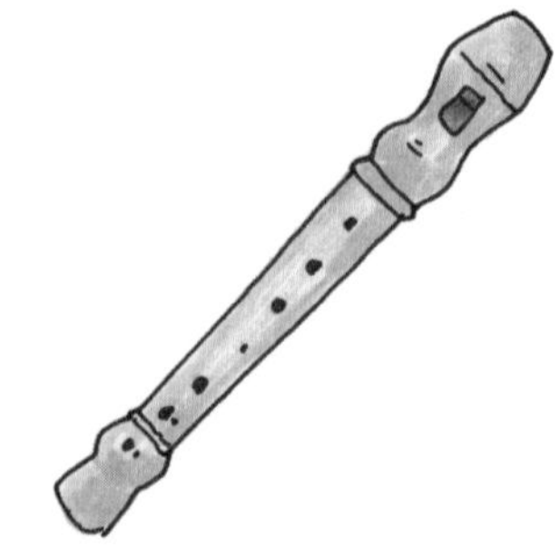

Une **flûte**

Une **batterie**

Une **trompette**

Un **violon**

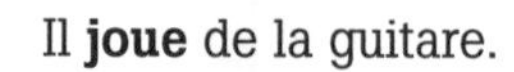

Il **joue** de la guitare.

Elle joue du violon.

• Ils sont à un **concert**. Ils **dansent**. Les **musiciens** / **musiciennes** jouent, la jeune femme **chante**.

## • LE THÉÂTRE ET LE CINÉMA  52

On **va au cinéma** pour **voir un film**.

L'**acteur**, l'**actrice** / Le **comédien**, la **comédienne**

On **va au théâtre** pour **voir une pièce de théâtre**.

On achète une **place** de théâtre / de cinéma.

Le week-end, les gens aiment bien **sortir** : aller au cinéma, au théâtre, à l'opéra, voir leurs amis dans un café, etc.

### ▶ Pour communiquer  53

*– Tu vas à ton cours de violon ?*
*– Non, j'ai un concert ce soir.*
*– Je voudrais bien venir, il reste des places ?*

*– On sort ce soir ?*
*– D'accord. On va au cinéma ?*
*– Super ! Quel film on va voir ?*

*– J'adore cet acteur !*
*– Moi aussi, il joue vraiment bien !*

## EXERCICES

**1. Écoutez. Dans quel ordre vous entendez ces instruments ?** 

| 1. un piano | 2. une trompette | 3. une batterie | 4. une guitare | 5. un violon | 6. une flûte |
|---|---|---|---|---|---|
| ........ | ........ | ........ | ........ | ........ | ....a.... |

**2. Classez les mots.**

[ ~~une actrice~~ - une pièce - un film - un musicien - chanter - un concert - danser - un comédien ]

| musique | théâtre et cinéma |
|---|---|
| ........ ........ <br> ........ ........ | une actrice ........ <br> ........ ........ |

**3. Associez.**

a. Il est musicien.
b. Il achète une place.
c. Il chante.
d. Il danse.
e. Il est acteur.
f. Il regarde un film.

1. ........ 2. ........ 3. ....a.... 4. ........ 5. ........ 6. ........

**4. Cochez.**

a. Pour voir une pièce on va au cinéma.
☐ Vrai. ☒ Faux.

b. On va à un concert pour écouter de la musique.
☐ Vrai. ☐ Faux.

c. On sort : on va au cinéma, au théâtre, etc.
☐ Vrai. ☐ Faux.

d. La batterie est un instrument de musique.
☐ Vrai. ☐ Faux.

e. Les gens dansent au cinéma.
☐ Vrai. ☐ Faux.

f. On doit acheter une place pour aller voir un film au cinéma.
☐ Vrai. ☐ Faux.

**PRENEZ LA PAROLE !**

**5. Choisissez un mot et mimez-le à la classe. Les autres trouvent le mot.**

Ex. : un piano !



LES LOISIRS

# 10

# Les jours de la semaine et les moments de la journée

*Tu as l'heure s'il te plaît ?*

OBSERVEZ  55

On va au cinéma ce **soir** ?
Non, pas ce soir, je n'aime pas sortir la **semaine**. Je préfère le **week-end**.
CINÉ
Samedi alors, à 19 **heures** ?


RÉPONDEZ

**1. Ils vont au cinéma aujourd'hui.**
☐ Vrai. ☐ Faux.

**2. Samedi, c'est le week-end.**
☐ Vrai. ☐ Faux.

**3. Ils vont au cinéma...**
☐ ...le matin. ☐ ...le soir.

LA VIE QUOTIDIENNE

MÉMORISEZ

• L'HEURE  56

– **Il est quelle heure ? / Quelle heure est-il ? / Vous avez l'heure** s'il vous plaît ? **/ Tu as l'heure** s'il te plaît ?
– **Il est dix heures.**

– Vous avez l'heure s'il vous plaît ?

– Oui, il est dix heures.

– **À quelle heure** tu te lèves demain ?

– Je me lève **à 6 heures**.

| | Heure officielle | Heure courante |
|---|---|---|
| 10 h 05 | Il est **dix heures cinq**. | |
| 10 h 10 | Il est dix heures dix. | |
| 10 h 15 | Il est dix heures quinze. | Il est dix heures **et quart**. |
| 10 h 20 | Il est dix heures vingt. | |
| 10 h 25 | Il est dix heures vingt-cinq. | |
| 10 h 30 | Il est dix heures trente. | Il est dix heures **et demie**. |

| | Heure officielle | Heure courante |
|---|---|---|
| 10 h 35 | Il est dix heures trente-cinq. | Il est **onze heures moins vingt-cinq**. |
| 10 h 40 | Il est dix heures quarante. | Il est onze heures moins vingt. |
| 10 h 45 | Il est dix heures quarante-cinq. | Il est onze heures **moins le quart**. |
| 10 h 50 | Il est dix heures cinquante. | Il est onze heures moins dix. |
| 10 h 55 | Il est dix heures cinquante-cinq. | Il est onze heures moins cinq. |
| 11 h 00 | Il est onze heures. | |

Il est 12 h 00. → Il est douze heures. / Il est **midi**.
Il est 00 h 00. → Il est zéro heure. / Il est **minuit**.

## • LES MOMENTS DE LA JOURNÉE  57

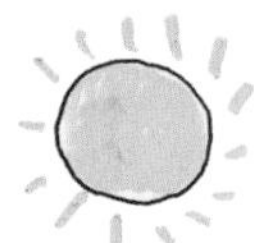

Le **matin**, Mathilde se réveille à 7 heures et va en cours.

À **midi**, elle déjeune avec ses amis à l'université.

L'**après-midi**, elle étudie à la bibliothèque.

Le **soir**, elle dîne chez elle.

La **nuit**, elle dort.

## • LES JOURS DE LA SEMAINE  58

| LUNDI | MARDI | MERCREDI | JEUDI | VENDREDI | SAMEDI |
|---|---|---|---|---|---|
| • 8 | | | | | |
| • 9 | | | | | |
| • 10 | | | | | |
| • 11 | | | | | |
| • 12 | | | | | |
| • 13 | | | | | |
| • 14 | | | | | |
| • 15 | | | | | |
| • 16 | | | | | DIMANCHE |
| • 17 | | | | | |
| • 18 | | | | | |
| • 19 | | | | | |
| • 20 | | | | | |
| • 21 | | | | | |

La **semaine** (lundi, mardi, mercredi, jeudi et vendredi), Sophie travaille.
Le **week-end** (samedi et dimanche), elle se repose.

### Pour communiquer  59

*– Tu as l'heure s'il te plaît ?*
*– Il est onze heures moins le quart…*
*– Pfff… encore 15 minutes…*

*– Il fait du sport ton fils cette année ?*
*– Oui, du foot le lundi et du rugby le vendredi.*

*– Je préfère travailler la nuit, c'est plus calme.*
*– Moi je préfère la journée, je peux voir ma famille.*

## EXERCICES

**1. Classez les heures.**

[ 12 h 00 - ~~10 h 15~~ - 03 h 00 - 16 h 03 - 23 h 00 ]

| Le matin | Le midi | L'après-midi | Le soir | La nuit |
|---|---|---|---|---|
| 10 h 15 | ........ | ........ | ........ | ........ |

**2. Écoutez et complétez.**  60

a. On a rendez-vous ......lundi...... matin à la bibliothèque.
b. J'aime regarder la télévision le .................... après le travail.
c. Je fais du sport le .................... et le .................... .
d. Le ...................., je sors avec mes amis.
e. À ...................., je mange à la cafétéria.
f. Le mercredi, je travaille le ...................., je ne travaille pas l' .................... .
g. J'aime regarder le ciel la .................... .
h. La ...................., je ne sors pas, je me couche tôt.

**3. Écrivez l'heure.**

a.  Il est ...onze heures moins le quart.... ....................

d. 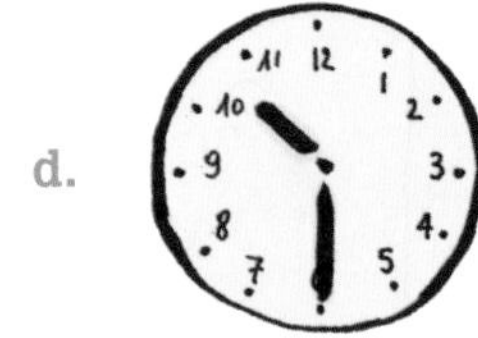 Il est .................... .................... .................... ....................

b. 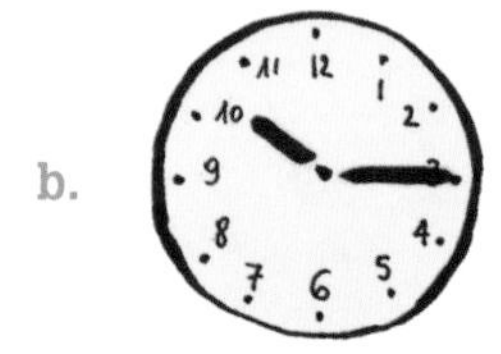 Il est .................... .................... .................... ....................

e.  Il est .................... .................... .................... ....................

c.  Il est .................... .................... .................... ....................

f.  Il est .................... .................... .................... ....................

 **PRENEZ LA PAROLE !**

**4. Posez des questions à votre voisin(e) sur les horaires de son quotidien.**
**Ex. :** À quelle heure tu te lèves le dimanche ? À quelle heure on dîne dans ton pays ?

# Les activités quotidiennes

*Je fais les courses.*

OBSERVEZ

61

RÉPONDEZ

**1. Cochez.**
C'est...
☐ ...le soir. ☐ ...le matin.

**2. Associez.**

**a.** Le père... ○ ○ **1.** ...ne travaille pas le samedi.
**b.** La mère... ○ ○ **2.** ...travaille le samedi.

**3. Cochez.**
Samedi après-midi, la mère dort.
☐ Vrai. ☐ Faux.

MÉMORISEZ

## • L'HYGIÈNE  62

Elle **prend un bain**.

Il **prend une douche**. / Il **se douche**.

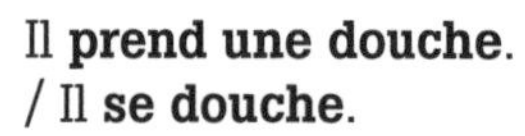

Elle **se lave** le visage.

Elle utilise du **shampoing** pour se laver les cheveux.

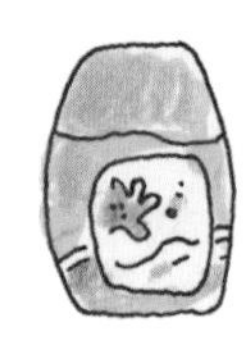

Il utilise du **gel douche** pour se laver.

Elle utilise du **savon** pour se laver.

Il **se coiffe**.

Elle **se brosse les dents**.

Il **se rase**.

Il utilise un **peigne** pour se coiffer.

Elle utilise du **dentifrice** et une **brosse à dents** pour se laver les dents.

Il utilise un **rasoir** pour se raser.

Il est **sale**,
elle est **propre**.

LA VIE QUOTIDIENNE

## • LE QUOTIDIEN 63

Il **se lève**.

Elle **se couche**.

Il **dort**.

Elle **travaille**.

Il **se repose**.

Elle **va** à l'école.

## • LES TÂCHES MÉNAGÈRES 64

Il **fait le ménage**.

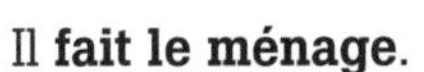

Il **fait la cuisine**.

Elle **fait les courses**.

### Pour communiquer 65

– *Tu es où ?*
– *Au supermarché. Je fais les courses.*
– *Tu peux acheter du shampoing, s'il te plaît ?*

– *Allez, il faut dormir maintenant !*
– *Non, encore 5 minutes !*
– *Non, demain vous vous levez tôt !*

– *Voilà ! Tu es tout propre maintenant.*
– *Je me coiffe tout seul !*

## EXERCICES

**1. Écoutez et soulignez les mots entendus.**  66

| | | |
|---|---|---|
| la brosse à dents | se lever | se doucher |
| le rasoir | le peigne | le shampoing |
| se coucher | se raser | travailler |
| le gel douche | se brosser les dents | se reposer |

**2. Associez.**

a. Il se coiffe avec ○ — ○ 1. du dentifrice.
b. Il se brosse les dents avec ○ — ○ 2. un rasoir.
c. Il se douche avec ○ — ○ 3. du shampoing.
d. Il se rase avec ○ — ○ 4. du gel douche.
e. Il se lave les cheveux avec ○ — ○ 5. un peigne.
f. Il se lave les mains avec ○ — ○ 6. du savon.

**3. Cochez.**

a. Il est 23 heures.
☒ Elle se couche. ☐ Elle se lève.

b. Il est sale.
☐ Il prend une douche. ☐ Il fait le ménage.

c. Le week-end, ...
☐ ...on travaille. ☐ ...on se repose.

d. Il se lave avec…
☐ …du savon. ☐ …du shampoing.

e. On se lave pour être…
☐ …propre. ☐ …sale.

f. Il va au supermarché pour faire...
☐ …les courses. ☐ …la cuisine.

**4. Qu'est-ce qu'ils font ?**

a.  Il / Elle fait la cuisine. ……………

d.  …………… …………… ……………

b.  …………… …………… ……………

e.  …………… …………… ……………

c.  …………… …………… ……………

f. 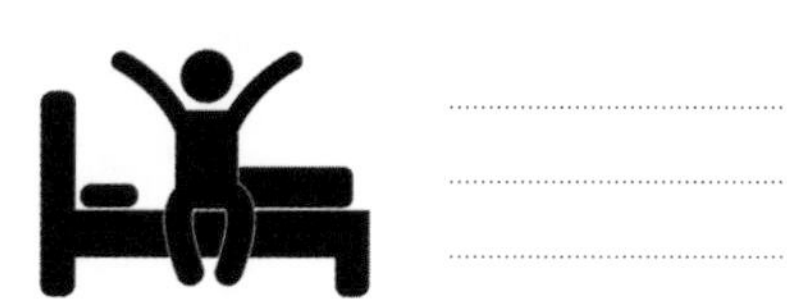  …………… …………… ……………

 **PRENEZ LA PAROLE !**

**5. Mimez une activité quotidienne. Les autres la trouvent.**
Ex. : Se laver !

12

# L'éducation

*On a des devoirs pour demain ?*

OBSERVEZ

67

RÉPONDEZ

**1. La journée d'école est finie.**
☐ Vrai. ☐ Faux.

**2. Damien a...**
☐ ...un maître. ☐ ...une maîtresse.

**3. Il y a 22 élèves dans la classe.**
☐ Vrai. ☐ Faux.

**4. Damien doit faire un exercice à la maison pour demain.**
☐ Vrai. ☐ Faux.

MÉMORISEZ

## • LE SYSTÈME ÉDUCATIF FRANÇAIS 68

On va à l'**école maternelle** de 3 à 5 ans.
On va à l'**école primaire** de 6 à 10 ans.
On va au **collège** de 11 à 14 ans.
On va au **lycée** de 15 à 17 ans.
On va à l'**université** à 18 ans.

## • L'ÉCOLE  69

Dans la **classe**, il y a le **maître** / la **maîtresse** et les **élèves**.

Les élèves font des **exercices** en classe.

Le maître / La maîtresse met une **note**.

Ils ont des **devoirs** à la maison : ils font des exercices et **apprennent** leur **leçon**.

## • L'UNIVERSITÉ  70

À l'université, il y a un **professeur** et des **étudiants**. Ils **étudient** dans une **salle de cours**.

Dans l'université, il y a différents **bâtiments** (le bâtiment P, J, la bibliothèque, etc.).

## • LES ACTIONS  71

| Lire | Écrire | Compter | Écouter | Répéter | Regarder |
|---|---|---|---|---|---|
|  |  |  |  |  |  |

Je ne **comprends** pas.

### Pour communiquer  72

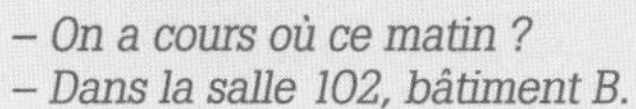

*– On a cours où ce matin ?*
*– Dans la salle 102, bâtiment B.*

*– Maîtresse ! On a des devoirs pour demain ?*
*– Oui, apprendre la leçon et faire l'exercice 3.*

*– Écoutez et répétez… Une école, un collège.*
*– Une école, un collège.*
*– Madame, je ne comprends pas ! Qu'est-ce que c'est « un collège » ?*

## EXERCICES

**1. Entourez 8 mots de la leçon.**

| | | | | | | | | | |
|---|---|---|---|---|---|---|---|---|---|
| A | C | N | Z | J | H | D | A | E | I |
| P | R | O | F | E | S | S | E | U | R |
| P | E | T | L | X | P | Q | S | Y | P |
| R | P | E | C | O | M | P | T | E | R |
| E | E | M | L | N | O | U | I | L | I |
| N | T | G | A | K | C | D | P | R | M |
| D | E | B | S | U | V | T | O | T | A |
| R | R | D | S | I | B | K | N | U | I |
| E | I | C | E | E | A | E | L | S | R |
| U | O | T | M | E | L | Y | C | E | E |

**2. Associez.**

| a. | b. | c. | d. | e. |
|---|---|---|---|---|
| ........ | ........ | 1 | ........ | ........ |

1. écouter
2. lire
3. compter
4. répéter
5. écrire

**3. Cochez. Quand c'est faux, écrivez la phrase juste.**

a. Les étudiants ont des professeurs.
☒ Vrai. ☐ Faux.
..............................

b. Au collège, il y a des étudiants.
☐ Vrai. ☐ Faux.
..............................

c. Un élève de primaire a un maître ou une maîtresse.
☐ Vrai. ☐ Faux.
..............................

d. On va au collège de 15 à 17 ans.
☐ Vrai. ☐ Faux.
..............................

e. Les exercices à la maison sont des devoirs.
☐ Vrai. ☐ Faux.
..............................

f. Les étudiants mettent des notes.
☐ Vrai. ☐ Faux.
..............................

L'ÉDUCATION ET LE TRAVAIL

**4. Écoutez et complétez.**  73

a. Dans la ......classe......, il y a 22 ..............................
b. Il faut .............................. sa ..............................
c. La .............................. met des ..............................
d. Les étudiants sont dans une ..............................
e. Il n' .............................. pas donc il ne .............................. pas.
f. Ils .............................. beaucoup.
g. Il a 12 ans, il va au ..............................
h. Après le .............................., il va à l'université.

**PRENEZ LA PAROLE !**

**5. Deux par deux, préparez des devinettes.**
**Ex. :** Il a 5 ans et une maîtresse → Il est à l'école maternelle !

13

# Le matériel scolaire et les matières

*J'ai cours d'arts plastiques cet après-midi.*

OBSERVEZ  74

RÉPONDEZ

**1. Cochez.**

Ils achètent du matériel pour l'école.

☐ Vrai. ☐ Faux.

**2. Associez**

**a.** un dictionnaire ○ ○ **1.**

**b.** des crayons de couleur ○ ○ **2.**

**c.** un cartable ○ ○ **3.**

MÉMORISEZ

## • LE MATÉRIEL SCOLAIRE  75

Du **papier**

Une **feuille** (de papier)

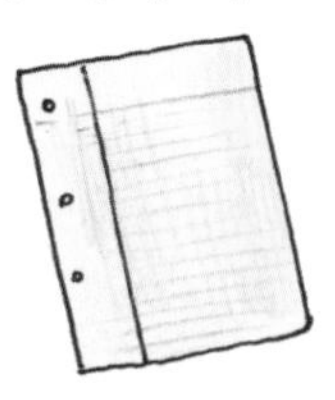

Un **crayon**

Un **stylo**

Des **crayons de couleur**

Un **cartable**

Un **dictionnaire**

## • LES MATIÈRES  76

À l'école primaire, les élèves apprennent :

la **lecture**

l'**écriture**

le **calcul**

l'**histoire**

la **géographie**

les **sciences**

une **langue étrangère**

Ils ont aussi des cours :

d'**éducation physique et sportive**

d'**éducation artistique**

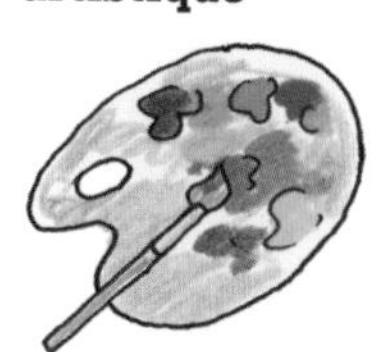

Au collège et au lycée, les élèves ont, en plus, des cours :

de **SVT (Sciences de la vie et de la terre)**

de **physique**

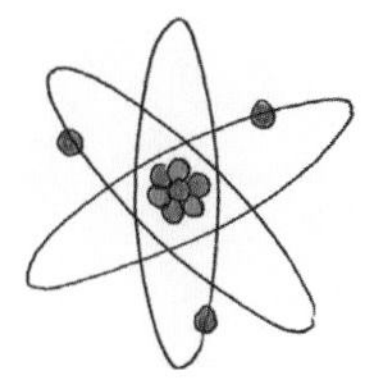

de **chimie**

de **mathématiques (maths)**

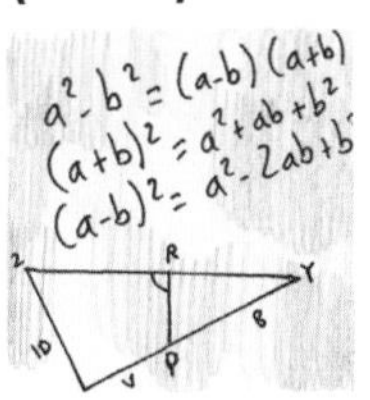


de **français**

d'**arts plastiques**

Ils étudient aussi les langues :

| l'**anglais** | l'**espagnol** | l'**arabe** | le **chinois** | l'**allemand** | l'**italien** |
|---|---|---|---|---|---|
|  |  |  |  |  |  |
| *Hello* | *Hola* | مرحبا | 你好 | *Hallo* | *Ciao* |

## Pour communiquer

*– On a quoi maintenant ? Histoire ou maths ?*
*– On a histoire.*

*– Tu as tes crayons de couleur ?*
*– Oui, bien sûr, j'ai cours d'arts plastiques cet après-midi.*

*– Comment on dit « feuille » en anglais ?*
*– Attends, je regarde dans le dictionnaire.*

## EXERCICES

**1. Associez et écrivez les mots complets.**

| | | |
|---|---|---|
| a. CAR | 1. GRAPHIE | a. CARTABLE |
| b. CRA | 2. PAGNOL | b. ........ |
| c. GÉO | 3. YON | c. ........ |
| d. HIS | 4. TABLE | d. ........ |
| e. ES | 5. LIEN | e. ........ |
| f. PA | 6. PIER | f. ........ |
| g. ITA | 7. TOIRE | g. ........ |

**2. Complétez.**

[ physique - stylo - dictionnaire - arts plastiques - ~~chinois~~ - éducation physique et sportive - chimie ]

a. Il parle bien ........ chinois ........ .
b. Tu as ton ................ ? Je ne comprends pas cette phrase.
c. Prenez votre ................ rouge et écrivez.
d. J'aime le cours d' ................ parce que j'adore dessiner.
e. Dans le cours d' ................, nous faisons du badminton.
f. Je déteste les sciences, la ................ et la ................ .

**3. Quels mots de la leçon vous entendez dans ces phrases ?** 78

a. ........ arabe ........
b. ................
c. ................
d. ................
e. ................
f. ................

**4. Cochez.**

a. Il dessine avec des...
☒ ...crayons de couleur. ☐ ...stylos.
b. Il fait du sport en...
☐ ...éducation physique. ☐ ...éducation artistique.
c. À l'école primaire, on apprend...
☐ ...les sciences. ☐ ...les SVT.
d. La chimie, c'est...
☐ ...du matériel scolaire. ☐ ...une matière.
e. La physique est une...
☐ ...science. ☐ ...langue.
f. L'allemand est une langue étrangère pour les élèves...
☐ ...français. ☐ ...allemands.

**PRENEZ LA PAROLE !**

**5. Deux par deux, dites la première partie d'un mot de la leçon, votre voisin(e) finit le mot.**
Ex. : Personne 1 : « Car » → Personne 2 : « table »

L'ÉDUCATION ET LE TRAVAIL

# 14

# Le travail

*Tu travailles toujours dans l'industrie ?*

OBSERVEZ  79

RÉPONDEZ

**1. Nicole ne travaille pas aujourd'hui.**
☐ Vrai. ☐ Faux.

**2. Nicole est avocate.**
☐ Vrai. ☐ Faux.

**3. Avocat(e) est un métier.**
☐ Vrai. ☐ Faux.

**4. Un avocat / Une avocate travaille…**
☐ …dans un bureau. ☐ …dans un cabinet.

MÉMORISEZ

## • LES PROFESSIONS / LES MÉTIERS  80

Il est **maçon**.
/ Elle est **maçonne**.

Il / Elle est **journaliste**.

Il / Elle est **secrétaire**.

Il / Elle est **médecin**.

Il est **avocat**.
/ Elle est **avocate**.

Il est **professeur**.
/ Elle est **professeure**.

Il est **infirmier**.
/ Elle est **infirmière**.

Il est **commerçant**.
/ Elle est **commerçante.**

## • LES LIEUX 81

Les secrétaires **travaillent** dans un **bureau**.

Les médecins et les avocats travaillent dans un **cabinet**.

Un commerçant travaille dans un **commerce** ou un **magasin**, par exemple dans un magasin de chaussures.

Un **ouvrier** travaille dans une **usine**.

## • LES EMPLOYÉS  82

Renault est une **entreprise**, une **société**.

Il y a beaucoup d'**employés** dans cette entreprise.

Les employés font la **grève** (arrêtent de travailler) quand ils ne sont pas contents de leurs conditions de travail.

## • LES SECTEURS  83

On peut travailler dans l'**industrie**.

On peut travailler dans l'**agriculture**.

On peut travailler dans l'**économie**.

### Pour communiquer  84

*– Tu fais quoi dans la vie ?*
*– Je suis infirmière et toi ?*
*– Moi, je suis journaliste.*

*– Tous les employés font la grève ?*
*– Oui ! Tous !*

*– Tu travailles toujours dans l'industrie ?*
*– Oui ! Maintenant ma société a 50 employés. Et toi ?*
*– Moi, toujours dans l'agriculture.*

## EXERCICES

**1. Complétez.**

a. G R È V E
b. É C O _ _ M I E
c. _ _ V R I E R
d. B U R _ _ _
e. U _ _ N E
f. E M P L _ _ É

**2. Complétez avec les métiers.**

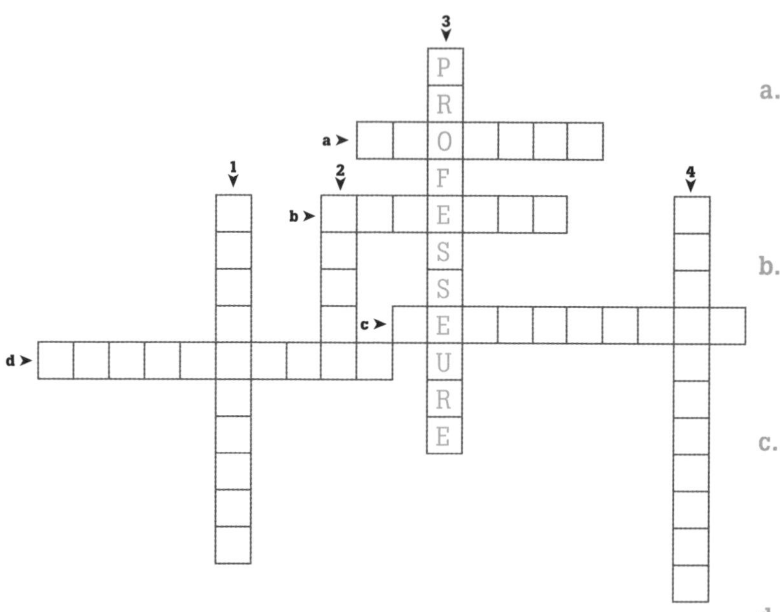


a.

b.

c.

d.

1.

2.

3.

4.

**3. Écoutez et complétez.**  85

a. Elle est infirmière. C'est un beau ........métier........ .
b. J'aime beaucoup ce .................................... de chaussures.
c. Il .................................... à l'université.
d. C'est une grande .................................... .
e. Le .................................... est ouvert de 8 heures à 19 heures.
f. Quelle est ta .................................... ?

**4. Cochez.**

a. Un commerce est…
☒ …un magasin. ☐ …une profession.
b. Un médecin travaille dans…
☐ …une usine. ☐ …un cabinet.
c. Il travaille chez Renault, il travaille dans…
☐ …l'agriculture. ☐ …l'industrie.
d. Un ouvrier travaille…
☐ …dans une usine. ☐ …dans un bureau.
e. Ils font grève.
☐ Ils travaillent. ☐ Ils ne travaillent pas.
f. Une secrétaire travaille dans…
☐ …un bureau. ☐ …un commerce.

**PRENEZ LA PAROLE !**

**5. Choisissez un métier et mimez-le aux personnes de votre groupe.**
Ex. : Un maçon !

L'ÉDUCATION ET LE TRAVAIL

# La maison et l'appartement

*Tu es locataire ?*

OBSERVEZ  86

RÉPONDEZ

**1. Marion et son amie vont chez le voisin.**
☐ Vrai. ☐ Faux.

**2. Elles habitent dans...**
☐ ...une maison. ☐ ...un appartement.

**3. Où est Marion ?**
☐ Dans le salon. ☐ Dans la salle de bains.

MÉMORISEZ

## • LES DIFFÉRENTS LOGEMENTS

87

Frédéric **habite** dans une **maison**.

Laetitia habite dans un **appartement**.

## • LES PARTIES DE LA MAISON

88

Dans une maison ou un appartement, il y a différentes **pièces** : une chambre, une cuisine, une salle à manger, etc.

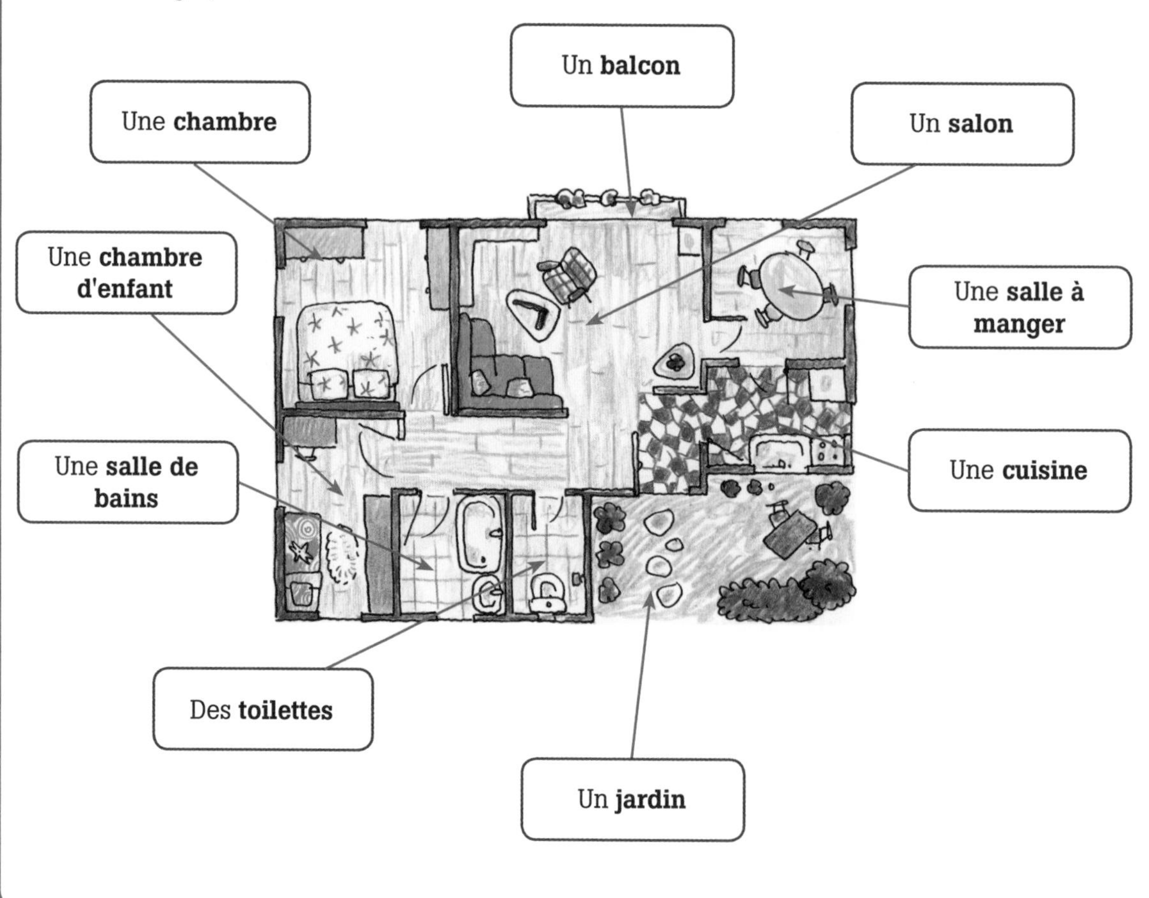


LE LOGEMENT

## • L'ÉQUIPEMENT  89

Un **radiateur**

Des **escaliers**
Un **ascenseur**

Une **fenêtre**
Une **porte**

## • LA LOCATION  90

Adrien est **locataire** : il **loue** cet appartement pour trois ans.

Sa **voisine** s'appelle Noémie. Elle est aussi en **location**.

## Pour communiquer  91

*– Elle est très grande, la cuisine !*
*– Oui, mais je n'aime pas la salle de bains !*

*– Tu es locataire ?*
*– Oui. Je suis étudiant, je vais habiter ici pendant deux ans.*

*– Prenez l'ascenseur, je prends les escaliers.*
*– Merci. C'est très gentil.*

LE LOGEMENT

## EXERCICES

**1. Écoutez et soulignez le mot entendu.** 92

a. salle de bains - jardin - voisin
b. location - louer - locataire
c. ascenseur - locataire - radiateur
d. escalier - habiter - salle à manger
e. maison - balcon - salon
f. toilettes - fenêtre - porte

**2. Écrivez le nom de la pièce ou de l'équipement.**

a. une salle de bains

b. une ..........

c. un ..........

d. un ..........

e. des ..........

f. une ..........

g. une ..........

h. une ..........

**3. Complétez.**

[ escaliers - maison - appartement - ~~voisine~~ - chambre - cuisine - salle à manger - jardin ]

a. Adeline habite à côté, c'est ma voisine.
b. Les fleurs dans ton .......... sont très belles.
c. Il habite dans une grande ..........
d. On mange dans la ..........
e. L'ascenseur ne marche pas, je prends les ..........
f. Les enfants jouent dans leur ..........
g. J'adore mon .........., il est grand et calme.
h. Ma pièce préférée c'est la ..........

**PRENEZ LA PAROLE !**

**4. Décrivez votre logement à votre voisin(e).**
Ex. : J'habite dans une maison, il y a 3 chambres…

# Le mobilier et l'équipement

*Bonjour, je cherche un frigo.*

OBSERVEZ  93

RÉPONDEZ

**1. Ils cherchent une table pour…**
☐ …la cuisine. ☐ …le salon.

**2. Ils cherchent une table basse.**
☐ Vrai. ☐ Faux.

**3. Elle aime la table et les chaises.**
☐ Vrai. ☐ Faux.

MÉMORISEZ

## • LE MOBILIER / LES MEUBLES  94

Une **table**

Une **chaise**

Un **lit**

Un **placard**

Une **armoire**

Un **canapé**

Une **bibliothèque**

Une **table basse**

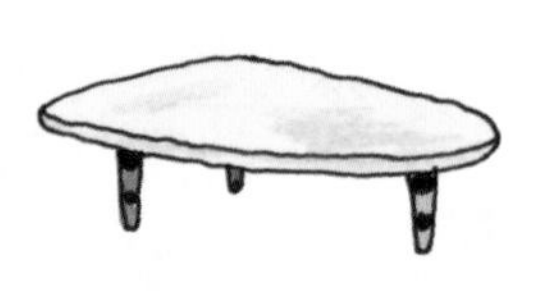

Une **étagère**

Un **bureau**

Une **commode**

Un **lavabo**

Une **baignoire**

Une **douche**

## • LES APPAREILS 

• Les **appareils électroménagers**

Un **frigo** / Un **réfrigérateur**

Une **cuisinière**

• Les **appareils hifi**

Une **télévision**

Une **radio**

Un **ordinateur**

### Pour communiquer 

*– Qui prend la bibliothèque avec moi ?*
*– Moi ! Et toi, Louis, tu peux prendre les chaises ?*

*– Bonjour, je cherche un frigo.*
*– Suivez-moi.*

*– Il est où le livre de vocabulaire ?*
*– Sur l'étagère derrière toi.*

LE LOGEMENT

## EXERCICES

**1. Écoutez et écrivez les mots entendus.** 97

a. baignoire
b. ....................
c. ....................
d. ....................
e. ....................
f. ....................
g. ....................
h. ....................

**2. Soulignez l'intrus.**

a. baignoire - table - douche
b. armoire - placard - lavabo
c. commode - table - chaise
d. ordinateur - télévision - réfrigérateur
e. bureau - frigo - cuisinière
f. table basse - canapé - lit

**3. Associez.**

a. une table
b. un placard
c. une chaise
d. un lavabo
e. une commode
f. un bureau

1. .......... 2. .......... 3. .......... 4. .......... 5. a 6. ..........

**4. Complétez.**

a. On prend un bain dans une baignoire.
b. On range ses livres dans une ....................
c. On mange sur une ....................
d. On s'assoit sur une ....................
e. On regarde un film à la ....................
f. On travaille sur son ....................

**PRENEZ LA PAROLE !**

**5. Dessinez un meuble ou un appareil. Les autres doivent trouver le mot.**
Ex. : Une chaise !

17

# Les transports publics

*Vite, on est en retard, le train va partir !*

OBSERVEZ

98

RÉPONDEZ

**1. Elle achète...**
☐ ...un billet de train. ☐ ...un ticket de métro.

**2. Elle part aujourd'hui à 14 h 30.**
☐ Vrai. ☐ Faux.

**3. Elle achète un billet aller-retour.**
☐ Vrai. ☐ Faux.

LES TRANSPORTS

MÉMORISEZ

## • LES MOYENS DE TRANSPORT  99

On **prend**...

...le **métro**.

...le **train**.

...l'**autobus** (ou le **bus**).

...le **tramway**.

...l'**avion**.

...le **bateau**.

...le **taxi**.

## • LES LIEUX 100

Pour prendre le train, on **va** à la **gare**. On attend le train sur le **quai**. Sur le quai, il y a deux **voies**.

Dans la gare, il y a un **accueil** pour demander des **informations**.

On prend...

...le métro dans une **station**.

...le bateau dans un **port**.

...l'avion dans un **aéroport**.

On va à la **porte d'embarquement** pour attendre l'avion.

LES TRANSPORTS

## • LES TITRES DE TRANSPORT 

Pour prendre le tramway, le bus ou le métro, on achète un **ticket**.

Pour voyager en train, on achète un **billet**.

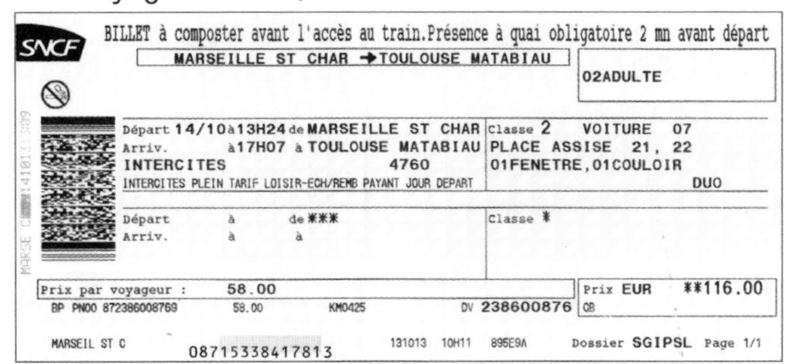

SNCF
BILLET à composter avant l'accès au train.Présence à quai obligatoire 2 mn avant départ
MARSEILLE ST CHAR → TOULOUSE MATABIAU
02ADULTE

Départ 14/10 à 13H24 de MARSEILLE ST CHAR | Classe 2 VOITURE 07
Arriv. à 17H07 à TOULOUSE MATABIAU | PLACE ASSISE 21, 22
INTERCITES 4760 | 01FENETRE,01COULOIR
INTERCITES PLEIN TARIF LOISIR-ECH/REMB PAYANT JOUR DEPART | DUO

Départ à de *** | Classe *
Arriv. à à

Prix par voyageur : 58.00 | Prix EUR **116.00
BP PN00 872386008769 58.00 KM0425 DV 238600876 CB

MARSEIL ST C 08715338417813 131013 10H11 895E9A Dossier SGIPSL Page 1/1

Monsieur et madame Vernis habitent à Marseille. Ils vont à Toulouse.
Ils partent de Marseille à 13 h 24. Ils arrivent à Toulouse à 17 h 07.
Monsieur et madame Vernis ont un billet **aller-retour**.

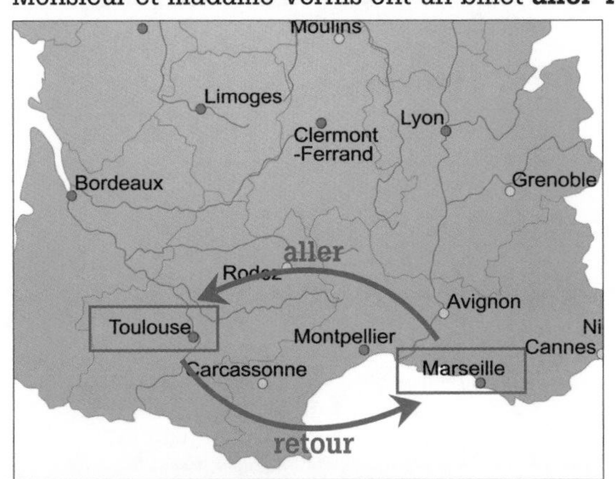



Pour aller à Toulouse, monsieur et madame Vernis sont assis **places** 21 et 22.

Le train de monsieur et madame Vernis n'est pas arrivé à Toulouse à 17 h 07 mais à 17 h 15.
Le train est arrivé **en retard**.

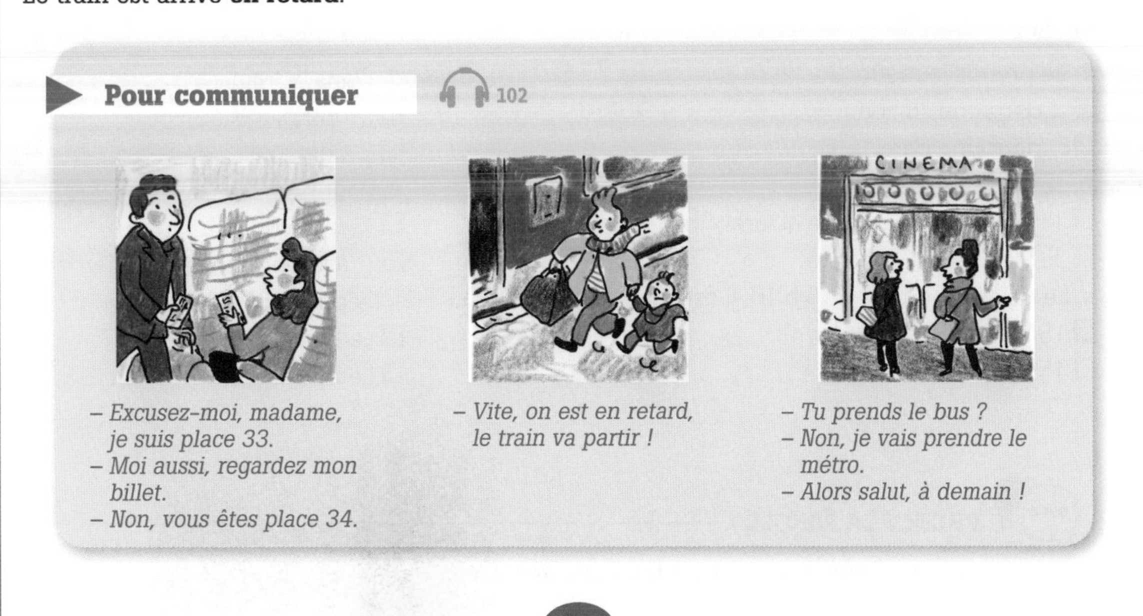

### ▶ Pour communiquer

102



*– Excusez-moi, madame, je suis place 33.*
*– Moi aussi, regardez mon billet.*
*– Non, vous êtes place 34.*

*– Vite, on est en retard, le train va partir !*

*– Tu prends le bus ?*
*– Non, je vais prendre le métro.*
*– Alors salut, à demain !*

## EXERCICES

**1. Écoutez et écrivez les mots.** 103

a. C C L U I A E : ACCUEIL
b. A N R I T : ..........
c. B E U T A A : ..........
d. I U A Q : ..........
e. T R P O : ..........
f. O E I V : ..........

**2. Classez.**

[ ~~un taxi~~ - un ticket - une porte d'embarquement - une station - un billet - un aéroport - un tramway - un métro ]

| Lieux | Moyens de transport | Titres de transport |
|---|---|---|
| .......... | un taxi | .......... |
| .......... | .......... | .......... |
| .......... | .......... | .......... |

**3. Complétez.**

a. Pour prendre le train, on achète un billet.
b. Pour prendre le bus, on achète un ..........
c. Pour prendre l'avion, on va à l'..........
d. Pour prendre le train, on va à la ..........
e. Le bateau arrive dans le ..........
f. Pour avoir des informations, je vais à l'.......... de la gare.

**4. Cochez.**

a. Je prends le métro…
☒ …dans une station.
☐ …dans une gare.

b. Je fais un aller-retour.
☐ Je fais Paris - Grenoble et Grenoble - Paris.
☐ Je fais Paris - Grenoble.

c. Le train doit arriver à 15 h 10. Il est en retard. Il arrive à :
☐ 15 h 10.
☐ 15 h 20.

d. Dans le train, j'ai…
☐ …une place.
☐ …une voie.

e. Pour prendre l'avion, je vais…
☐ …sur le quai.
☐ …à la porte d'embarquement.

f. Départ à 14 h 15.
☐ Le bus part à 14 h 15.
☐ Le bus arrive à 14 h 15.

**PRENEZ LA PAROLE !**

**5. Choisissez un mot, les autres disent les mots associés.**

**Ex. :** La gare → Le train, le billet, le quai…

# Les transports privés

*Votre permis de conduire, s'il vous plaît.*

Bonjour. Je cherche la **rue** Molière, s'il vous plaît.
Prenez **à gauche**.
Je prends le **pont** ?
Non, **tournez à gauche** ici, au **feu**, avant le pont.


RÉPONDEZ

**1. Cochez.**
L'automobiliste ne sait pas où est la rue Molière.
☐ Vrai. ☐ Faux.

**2. Associez**

**a.**  ○ ○ **1.** un feu

**b.** 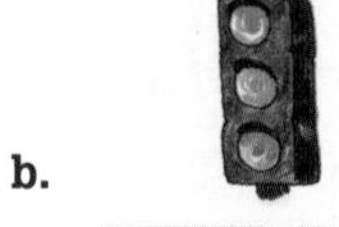 ○ ○ **2.** un pont

**c.**  ○ ○ **3.** tourner à gauche

MÉMORISEZ

## • LES MOYENS DE TRANSPORT  105

Une **voiture**

Une **moto**

Un **scooter**

Un **vélo**

## • LA CIRCULATION  106

**Danger !**

Un **feu**

**Tourner / Prendre à gauche**

**Tourner / Prendre à droite**

Un **permis de conduire**

Une **autoroute**

Une **route**

Une **rue**

Un **carrefour**

Un **pont**

LES TRANSPORTS

## • LES LIEUX 

Un **parking**

Un **garage**

Une **station-service**

Le **garagiste** répare une voiture dans son **garage** automobile.

### Pour communiquer 108

*– Votre permis de conduire, s'il vous plaît.*
*– Voilà.*
*– Merci.*

*– Tu prends le métro maintenant ?*
*– Oui, ma voiture est chez le garagiste.*

*– Au feu, tournez à gauche.*

## EXERCICES

**1. Écoutez et complétez.** 109

a. Au prochain carrefour, prenez à gauche.
b. On doit traverser le .......................................
c. Sur cette ....................................... il n'y a pas beaucoup de voitures.
d. Je voudrais avoir un .......................................
e. Au ......................................., tournez à droite.
f. Elle est belle, cette ....................................... !

**2. Associez.**

a. • → • 1. danger
b. • • 2. un garage
c. • • 3. une autoroute
d. • • 4. tourner à gauche
e. • • 5. tourner à droite
f. • • 6. un carrefour

**3. Cochez.**

a. Les voitures s'arrêtent au feu rouge. ☒ Vrai. ☐ Faux.
b. Un garagiste travaille dans un parking. ☐ Vrai. ☐ Faux.
c. Un automobiliste doit avoir un permis de conduire. ☐ Vrai. ☐ Faux.
d. Une rue est plus grande qu'une autoroute. ☐ Vrai. ☐ Faux.
e. On fait du vélo sur une autoroute. ☐ Vrai. ☐ Faux.
f. On gare la voiture dans une station-service. ☐ Vrai. ☐ Faux.

**PRENEZ LA PAROLE !**

**4. Deux par deux, proposez des lettres à votre voisin(e) pour reconstituer le mot.**

**Ex. :** _ _ R R _ _ _ _ _
– A !
– oui, _ A R R _ _ _ _ _ etc. (CARREFOUR)

19

# Le tourisme

OBSERVEZ  110

*Voilà mon passeport et mon visa.*

RÉPONDEZ

**1. Cochez.**

**a.** Ils parlent de leur voyage d'été.
☐ Vrai. ☐ Faux.

**b.** En été, il fait chaud à la mer.
☐ Vrai. ☐ Faux.

**c.** Dans quel pays ils vont passer leurs vacances ?
☐ En France. ☐ En Espagne.

**2. Associez.**

**a.**  Elle préfère… ○ ○ **1.** …la mer.

**b.** Il préfère… ○ ○ **2.** …la montagne.

MÉMORISEZ

## • LES LIEUX  111

Pendant les vacances, on aime **voyager** / faire du **tourisme**.

À Rome, on **visite** le Colisée, à New York, on visite la statue de la Liberté.

On peut visiter différents **pays** : l'Italie, l'Espagne, le Portugal…

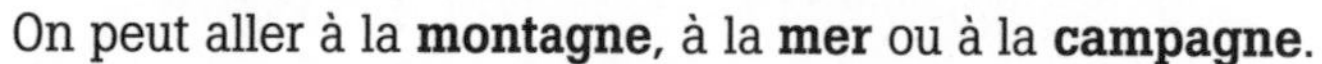

On peut aller à la **montagne**, à la **mer** ou à la **campagne**.

## • LE VOYAGE ET LES FORMALITÉS  112

Un **passeport** et une **carte d'identité** sont des **pièces d'identité**.

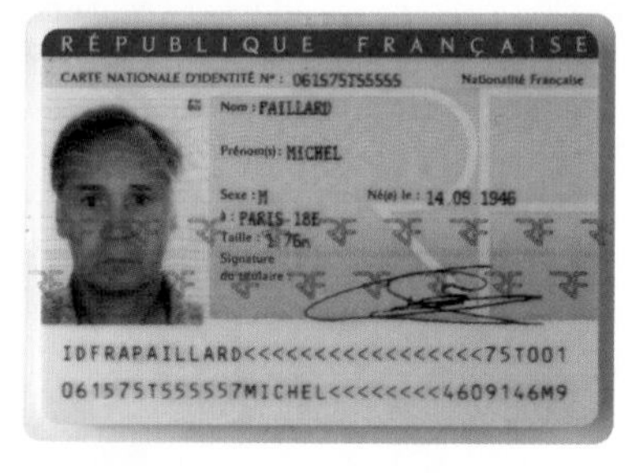


Ce passeport est **valable du** 07/07/2017 **au** 06/07/2027.

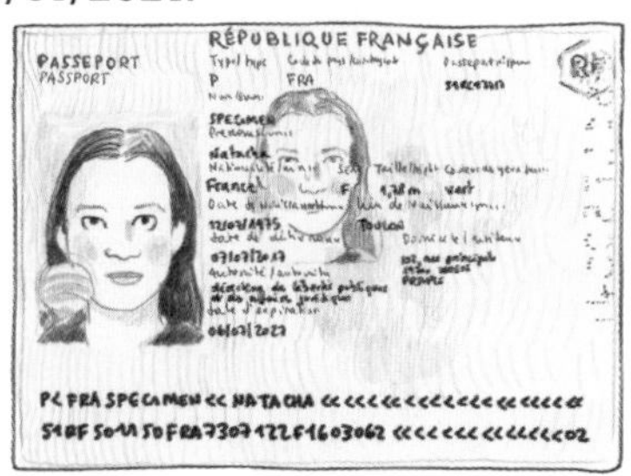


On doit parfois avoir un **visa** pour aller dans un autre pays.

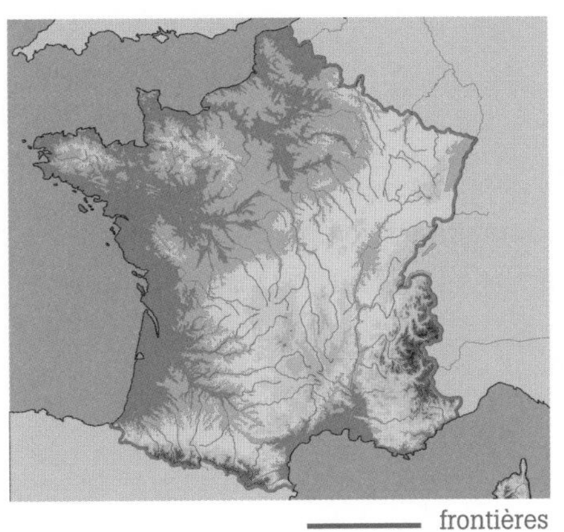

frontières

La **douane** est la police des frontières.

## • LE TEMPS 113

Il y a du **soleil**.

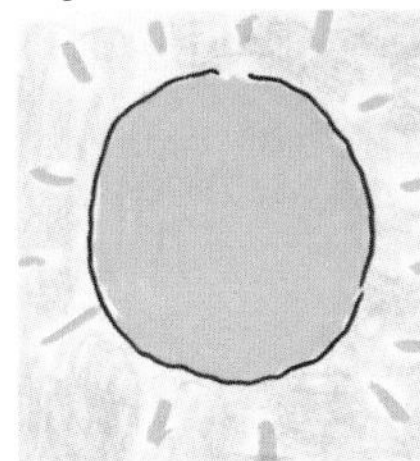

Il y a des **nuages**.

Il y a du **vent**.

Il **neige**.

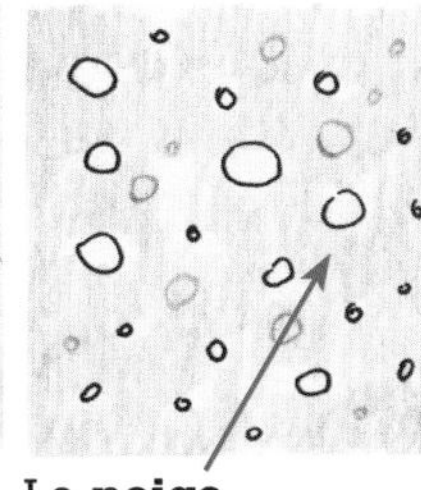

La **neige**

**Il pleut.**

La **pluie**

**Il fait beau.**

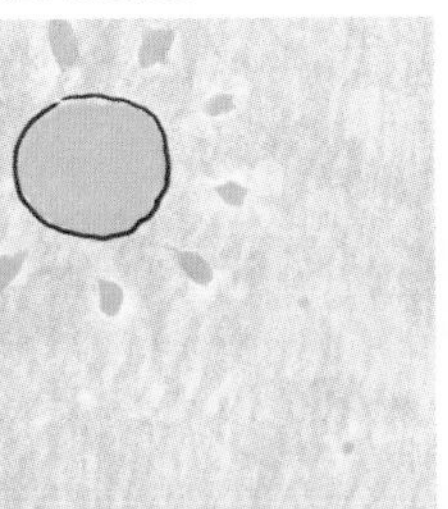

**Il fait mauvais.**

**Il fait chaud.**

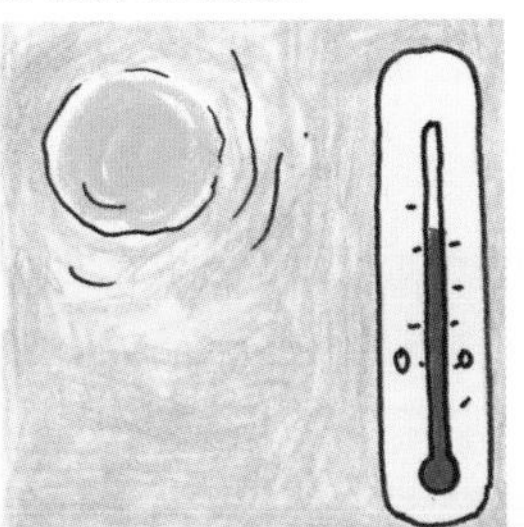

**Il fait froid.**

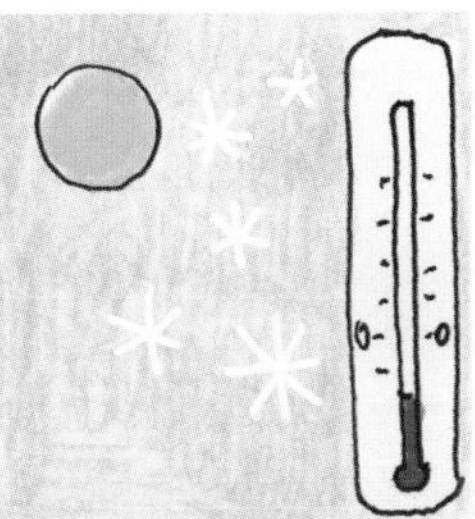

## Pour communiquer

114

*– Votre pièce d'identité s'il vous plaît.*
*– Voilà mon passeport et mon visa.*

*– Je voudrais faire un voyage avec ma femme en Italie.*
*– Quelles villes vous voulez visiter ?*
*– Rome et Venise.*

*– On rentre ? Il fait vraiment froid !*
*– Oui ! La neige est bonne mais il y a du vent !*

## EXERCICES

**1. Écoutez et soulignez le mot entendu.** 115

a. Je passe [ <u>la douane</u> / la frontière ].
b. Votre [ pièce d'identité / carte d'identité ] s'il vous plaît.
c. Il fait [ beau / chaud ].
d. Quel [ vent / temps ] !
e. Il y a beaucoup de [ neige / nuages ].
f. Je pars à la [ campagne / montagne ].

**2. Associez.**

| | |
|---|---|
| a. À la montagne… → 3 | 1. …un pays. |
| b. Le passeport est valable… | 2. …il voyage. |
| c. À l'aéroport… | 3. …il y a de la neige. |
| d. Je visite… | 4. …beau. |
| e. Pendant les vacances… | 5. …du 03/08/2016 au 02/08/2026. |
| f. Il fait… | 6. …je montre mon passeport. |

**3. Cochez.**

| | | |
|---|---|---|
| a. En hiver, il neige à la montagne. | ☒ Vrai. | ☐ Faux. |
| b. La douane est à la frontière. | ☐ Vrai. | ☐ Faux. |
| c. Il y a du soleil. = Il fait mauvais. | ☐ Vrai. | ☐ Faux. |
| d. Je passe la frontière. = Je change de pays. | ☐ Vrai. | ☐ Faux. |
| e. Le passeport est une pièce d'identité. | ☐ Vrai. | ☐ Faux. |
| f. Je visite un pays. = Je fais du tourisme. | ☐ Vrai. | ☐ Faux. |

**4. Écrivez. Quel temps il fait ?**

a. Il y a du vent.
b. ……
c. ……
d. ……
e. ……
f. ……

**PRENEZ LA PAROLE !**

**5. Par petits groupes, répondez : Vous préférez les vacances à la mer, à la montagne ou à la campagne ? Pourquoi ?**
Ex. : Je préfère les vacances à la mer parce que j'aime le soleil.

# L'hôtellerie

*À quelle heure vous servez le petit déjeuner ?*

OBSERVEZ 116

RÉPONDEZ

**1. Il téléphone à la réception d'un hôtel.**
☐ Vrai. ☐ Faux.

**2. L'hôtel est complet le 18 et le 19 mars.**
☐ Vrai. ☐ Faux.

**3. Il veut une chambre avec un lit pour deux personnes.**
☐ Vrai. ☐ Faux.

**4. Il réserve une chambre dans cet hôtel.**
☐ Vrai. ☐ Faux.

MÉMORISEZ

## • L'HÔTEL  117

Une **chambre** avec un **lit double** / deux **lits simples**.

On peut **réserver** une chambre par téléphone ou sur Internet.

La **réception**

La **clé**

Des **escaliers** / Un **ascenseur**

Des **bagages**

Une **valise**

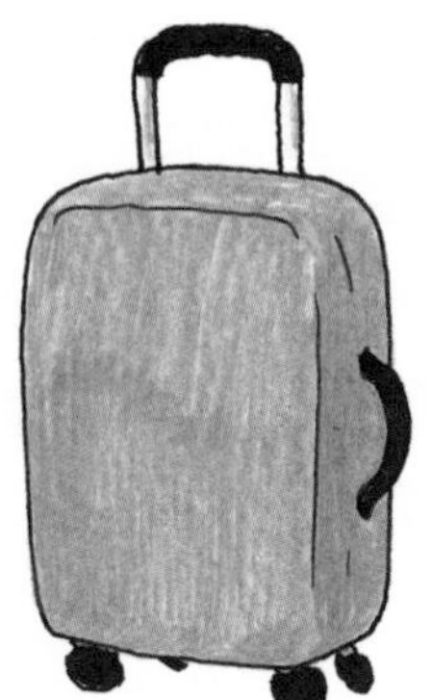

Un **sac**

On peut prendre le **petit déjeuner** à l'hôtel.

L'hôtel est **complet**.
= Il n'y a plus de chambres libres.

## • LE CAMPING  118

Un **camping**

Une **tente**

Une **piscine**

Pendant les vacances, les Français aiment **camper**.

## • LE GÎTE  119

Une / Des famille(s) ou des groupes d'amis peuvent **louer** un **gîte** (une grande maison à la campagne).

### Pour communiquer  120

*– Papa, je veux monter la tente avec toi !*
*– Tu ne préfères pas aller voir la piscine avec maman ?*

*– On revient dans ce gîte l'année prochaine !*
*– Oui ! Il est très bien...*

*– À quelle heure vous servez le petit déjeuner ?*
*– De 7 heures à 10 heures.*

## EXERCICES

**1. Séparez les mots.**

gîte/réceptioncampercomplettentepiscinesacclé

**2. Associez.**

a. Elle monte sa tente. ○ ○ 1.

b. Elle prend la clé à la réception. ○ ○ 2.

c. Elle prend l'ascenseur. ○ ○ 3.

d. Elle loue un gîte. ○ ○ 4.

e. Elle réserve une chambre. ○ ○ 5.

f. Elle prend les escaliers. ○ ○ 6.

**3. Soulignez les bons mots.**

a. Dans un camping, on monte [ sa tente / son lit ].
b. Avec ma famille et mes amis, on loue un [ hôtel / gîte ].
c. Un couple dort dans un [ lit simple / lit double ].
d. Avec mes valises, je prends [ les escaliers / l'ascenseur ].
e. On [ réserve / loue ] une chambre dans un hôtel.
f. On campe dans un [ camping / gîte ].

**4. Écoutez et classez les phrases entendues.**  121

| L'hôtel | Le camping | Le gîte |
|---|---|---|
| ....a.... / .......... / .......... | .......... / .......... | .......... |

**PRENEZ LA PAROLE !**

**5. Deux par deux, jouez la scène : un client téléphone dans un hôtel pour réserver une chambre.**

Ex. : Bonjour, je voudrais une chambre pour une personne…

# 21

# Les fruits et les légumes

*J'aime le melon et les pêches.*

OBSERVEZ  122

Regarde grand-père ! Il y a 4 salades.
Oui. Et regarde ici les belles tomates rouges ! Et il y a des courgettes aussi.
Et tu as des carottes ?
Non, pas cette année… Je n'ai pas tous les légumes dans mon jardin !

RÉPONDEZ

**1. Cochez.**

**a.** Ils sont dans un jardin.

☐ Vrai. ☐ Faux.

**b.** Les tomates, les salades, les courgettes et les carottes sont des légumes.

☐ Vrai. ☐ Faux.

**2. Associez**

**a.**  ○  ○ **1.** une tomate

**b.**  ○  ○ **2.** une courgette

**c.**  ○ ○ **3.** une carotte

**d.** ○ ○ **4.** une salade

MÉMORISEZ

## • LES FRUITS

Une **orange**

Une **pomme**

Une **banane**

Une **poire**

Une **pêche**

Une **clémentine**

Une **cerise**

Un **ananas**

Un **abricot**

Une **fraise**

Un **pamplemousse**

Un **melon**

## • LES LÉGUMES

Une **pomme de terre**

Un **chou**

Une **carotte**

Des **haricots verts**

Une **salade**

Une **tomate**

Une **courgette**

Un **concombre**

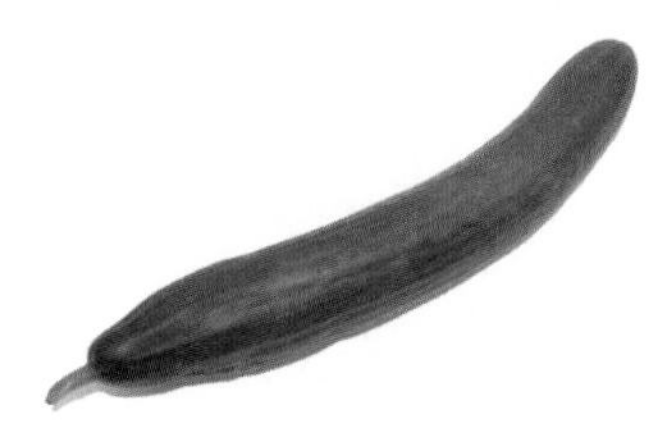

Un **radis**

• **AU MARCHÉ**  125

– 500 **grammes** de carottes s'il vous plaît.

– Oui, le **kilo** est à 1,40 euro.

– Voilà 70 centimes, c'est bon ?

**Pour communiquer**  126

– *Maintenant, tu mets les courgettes.*
– *Et les carottes aussi ?*
– *Oui.*

– *Ils sont beaux les abricots !*
– *Oui.*
– *On a déjà 10 kilos !*

– *Mangez plus de fruits et légumes. Qu'est-ce que vous aimez ?*
– *J'aime beaucoup le melon et les pêches. Mais je n'aime pas le chou et les carottes…*

## EXERCICES

### 1. Trouvez 8 fruits.

| | | | | | | | | | | | |
|---|---|---|---|---|---|---|---|---|---|---|---|
| H | O | D | S | C | W | X | W | Q | U | P | P |
| P | A | M | P | L | E | M | O | U | S | S | E |
| G | N | O | O | E | G | N | R | Z | Y | U | C |
| G | A | U | M | M | D | B | A | S | R | I | H |
| S | N | A | M | E | O | C | N | C | R | K | E |
| S | A | U | E | N | U | V | G | F | D | J | A |
| P | S | D | D | T | O | G | E | G | J | G | S |
| U | F | R | A | I | S | E | K | T | G | D | D |
| A | O | S | U | N | U | H | N | M | E | S | W |
| V | S | D | C | E | R | I | S | E | J | K | X |

### 2. Classez les mots.

[ ~~une poire~~ - un concombre - un melon - des haricots verts - un abricot - un radis - une banane - une pomme de terre ]

| Les fruits | Les légumes |
|---|---|
| une poire | |
| | |
| | |
| | |
| | |
| | |

### 3. Cochez le bon mot.

a.  C'est ☒ une pêche. ☐ un abricot.

b.  C'est ☐ une pomme. ☐ une pomme de terre.

c.  C'est ☐ une salade. ☐ un chou.

d. C'est ☐ une orange. ☐ un pamplemousse.

e. C'est ☐ un concombre. ☐ une courgette.

f.   C'est ☐ une clémentine. ☐ une orange.

### 4. Écoutez et complétez.  127

a. J'adore le ......melon...... !

b. Je voudrais deux ............ de ............ s'il vous plaît.

c. Je vais acheter 500 ............ de ............ .

d. Les ............ et les ............, c'est bon pour la santé.

e. Je vais cuisiner les ............ .

f. Qu'est-ce qu'on mange avec les ............ ?

### PRENEZ LA PAROLE !

**5. Dites un mot. Les autres disent « fruit » ou « légume ».**

Ex. : Cerise → fruit !

# 22

# Les viandes, les poissons, les œufs et les céréales

*Bonjour, je voudrais un poulet s'il vous plaît.*



OBSERVEZ  128

CAFETERIA
Hum… J'adore le **pain** en France… On mange quoi dans ton pays Koko ?
Au Japon, on mange du **riz** et beaucoup de **poisson**, du **saumon** par exemple. Et dans ton pays Silvio ?
En Italie, on mange des **pâtes** !


RÉPONDEZ

**1. Cochez.**

**a.** Les deux étudiants mangent à la cafétéria.

☐ Vrai. ☐ Faux.

**b.** Silvio mange…

☐ ...des pâtes. ☐ ...du pain.

**2. Associez**

**a.** En Italie, on mange beaucoup de… ○ ○ **1.** ...saumon.

**b.** Au Japon, on mange beaucoup de… ○ ○ **2.** ...pain.

**c.** En France, on mange beaucoup de… ○ ○ **3.** ...pâtes.

MÉMORISEZ

## • LES ALIMENTS D'ORIGINE ANIMALE 

| Un **poulet** | Un **bœuf** | Un **mouton** | Un **agneau** | Un **porc** |
| --- | --- | --- | --- | --- |
|  |  |  |  |  |
| De la **viande** de poulet / du poulet | De la viande de bœuf / du bœuf | De la viande de mouton / du mouton | De la viande d'agneau / de l'agneau | De la viande de porc / du porc |
|  |  |  |  |  |

Le **saumon** est un **poisson**.

Des **œufs**

## • LES ALIMENTS D'ORIGINE VÉGÉTALE 

Le **blé**

Le **maïs**

Le blé et le maïs sont des **céréales**.

Les **pâtes**

Le **riz**

Les **épices**

Le **poivre**

Le **sel**

Le **sucre**

## • LE PAIN ET LES CROISSANTS 131

Le **pain**

Les **croissants**

### Pour communiquer 132

*– Super ! Des croissants !*
*– Et du pain frais.*

*– On achète des épices ?*
*– Oui ! J'adore cuisiner avec différentes épices !*

*– Bonjour, je voudrais un poulet s'il vous plaît.*
*– Et avec ça ?*
*– De la viande de bœuf.*

## EXERCICES



**1. Écoutez et complétez.**  133

a. R I Z
b. O _ _ F
c. M _ _ _ _ N
d. B _ _ _ F
e. A _ _ _ _ U
f. M _ _ S

**2. Classez les mots.**

[ ~~le poulet~~ - les œufs - les pâtes - le saumon - le poivre - le pain ]

| Animal | Végétal |
|---|---|
| le poulet | |
| | |
| | |

**3. Complétez.**

**4. Cochez.**

a. Le bœuf, c'est de la viande.
☒ Vrai. ☐ Faux.

b. Au Japon, on mange beaucoup de riz.
☐ Vrai. ☐ Faux.

c. Le poivre n'est pas une épice.
☐ Vrai. ☐ Faux.

d. Le maïs n'est pas une céréale.
☐ Vrai. ☐ Faux.

e. Le sel est un produit d'origine végétale.
☐ Vrai. ☐ Faux.

f. Le saumon est un poisson.
☐ Vrai. ☐ Faux.

**PRENEZ LA PAROLE !**

**5. Deux par deux, répondez aux questions : Qu'est-ce que tu aimes ? Qu'est-ce que tu n'aimes pas ?**

**Ex. :** J'aime la viande de bœuf et les croissants. Je n'aime pas la viande de mouton et le poisson.

23

# Les produits laitiers et les boissons

*Qui veut du fromage ?*

L'ALIMENTATION ET LA RESTAURATION

OBSERVEZ  134

Les enfants vous voulez du **jus de fruits** ?
Non, moi je préfère boire du **sirop** !
Et vous, Léa et Théo, du **vin rouge** ou du **vin blanc** ?
Du vin blanc pour moi s'il te plaît, Clothilde !
Du jus de fruits pour moi s'il te plaît. Je ne bois pas d'**alcool**.


RÉPONDEZ

**1. Clothilde propose à boire.**
☐ Vrai. ☐ Faux.

**2. Tous les enfants veulent du jus de fruits.**
☐ Vrai. ☐ Faux.

**3. Léa et Théo veulent boire du vin.**
☐ Vrai. ☐ Faux.

**4. Le jus de fruits, c'est de l'alcool.**
☐ Vrai. ☐ Faux.

MÉMORISEZ



## • LES PRODUITS LAITIERS  135

Du **lait**

Du **beurre**

Un **yaourt**

De la **crème fraîche**

Du **gruyère**

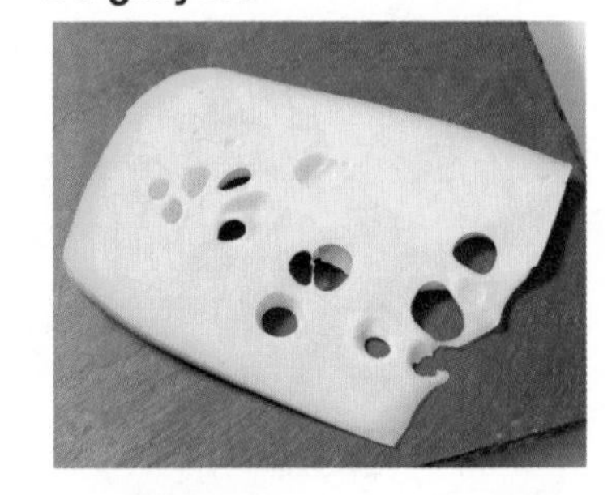

Du **chèvre**

Du **bleu**

Du **camembert**

Le camembert, le gruyère, le chèvre et le bleu sont des **fromages**.

## • LES BOISSONS  136

De l'**eau**

Du **jus de fruits**

Du **sirop**

Du **vin blanc**

Du **vin rouge**

De la **bière**

Du **thé**

Du **café**

### Pour communiquer 137

– *On va prendre un sirop de fraise, un thé et un café s'il vous plaît.*
– *Je vous apporte ça tout de suite.*

– *Qui veut du fromage ?*
– *Moi ! Je vais prendre un peu de bleu, j'adore ça !*

– *Et maintenant ?*
– *100 grammes de beurre.*
– *Je ne mets pas de lait ?*
– *Non, pas dans ce gâteau...*

## EXERCICES

**1. Écoutez et écrivez.** 138

a. café

b.

c.

d.

e.

f.

**2. Soulignez les produits laitiers.**

une bière

un camembert

du gruyère

du vin

du beurre

du sirop

un yaourt

du lait

de l'eau

du bleu

**3. Cochez.**

a. Le bleu est un fromage.
☒ Vrai. ☐ Faux.

b. Le jus de fraise est un jus de fruits.
☐ Vrai. ☐ Faux.

c. Avec le sirop, je mets de l'eau.
☐ Vrai. ☐ Faux.

d. Le chèvre n'est pas un produit laitier.
☐ Vrai. ☐ Faux.

e. L'eau n'est pas une boisson.
☐ Vrai. ☐ Faux.

f. La bière, c'est de l'alcool.
☐ Vrai. ☐ Faux.

**4. Regardez les images et complétez.**

a. Il boit du thé.

b. Il achète de la ............................ .

c. Elle aime le ............................ .

d. Il n'aime pas la ............................ .

e. Elle déteste le ............................ .

f. Elle adore le ............................ .

**PRENEZ LA PAROLE !**

**5. Dans votre pays, qu'est-ce qu'on boit le matin, le midi, le soir ?**

Ex. : Le matin, on boit du thé.

# Les repas

*Tiens ! Ton goûter.*



OBSERVEZ  139

RÉPONDEZ

**1. Cochez.**

**a.** Hugo veut manger avec Lila.
☐ Vrai. ☐ Faux.

**b.** Hugo et Lila ne mangent pas ensemble aujourd'hui.
☐ Vrai. ☐ Faux.

**c.** Hugo invite Lila au restaurant.
☐ Vrai. ☐ Faux.

**2. Associez.**

**a.** Le déjeuner ○ ○ **1.** Le repas de 12 h 00
**b.** Le dîner ○ ○ **2.** Le repas de 20 h 00

MÉMORISEZ

## • LES REPAS  140

8 h 00

Le **petit déjeuner** - **Prendre son petit déjeuner**

12 h 00

Le **déjeuner** - **Déjeuner**

16 h 00

Le **goûter** - **Goûter, prendre son goûter**

20 h 00

Le **dîner** - **Dîner**

Mon père **prépare** les **repas** (le petit déjeuner, le déjeuner et le dîner).
Il adore **cuisiner**.

## • METTRE LA TABLE

Une **tasse**

Un **verre**

Un **plat**

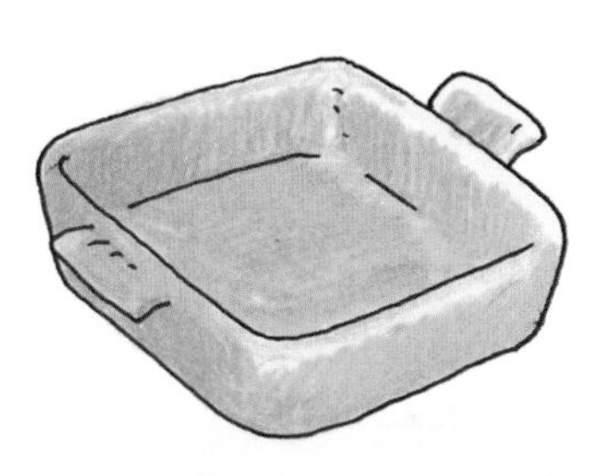

### Pour communiquer

*– Tiens ! Ton goûter.*
*– Hum ! Merci maman !*

*– Deux petits déjeuners s'il vous plaît.*
*– Avec du thé ou du café ?*

*– Maman, je n'ai pas de couteau !*
*– Ah ! J'ai oublié ton couteau et ma fourchette !*

## EXERCICES

**1. Séparez les mots.**

assiette/tassegoûterrepascuillèreverre

**2. Associez.**

a. un couteau o ——→ o 3.

b. une fourchette o    o 1.

c. une cuillère o    o 2.

d. une serviette o    o 3.

e. une tasse o    o 4.

f. un verre o    o 5.

o 6.

**3. Barrez l'intrus.**

a. couteau - fourchette - ~~goûter~~
b. tasse - verre - petit déjeuner
c. petit déjeuner - assiette - déjeuner
d. cuillère - petite cuillère - cuisiner
e. assiette - serviette - repas
f. préparer - dîner - déjeuner

**4. Écoutez et complétez.**  143

a. À midi, elle ..........déjeune.......... au restaurant.
b. À 16 heures, il prend son .................................... .
c. Ce soir, on va .................................... chez mes parents !
d. Je bois un .................................... de vin.
e. Pierre, tu peux ...................................., s'il te plaît ?
f. Le matin, elle boit du café au .................................... .

**PRENEZ LA PAROLE !**

**5. Par deux, parlez de vos habitudes de repas.**
Ex. : Dans mon pays, on déjeune à midi.

# 25

# Le restaurant

*L'addition s'il vous plaît !*

OBSERVEZ  144

Voilà votre **addition** monsieur.
Une **entrée**, le **plat du jour**, un **dessert** et un **café**…
Ça fait 27 euros, s'il vous plaît.
Je vais **payer** par carte.

RÉPONDEZ

**1. Cochez.**

**a.** L'homme est au restaurant.

☐ Vrai. ☐ Faux.

**b.** L'homme paye l'addition 27 euros.

☐ Vrai. ☐ Faux.

**2. Remettez dans l'ordre les moments du repas.**

**a.** Le café ............ **b.** L'entrée ....1.... **c.** Le plat ............ **d.** Le dessert ............

## • AU RESTAURANT  145

Ils sont au **restaurant**.

**Manger**

Quand on **a faim**, on mange.

**Boire**

Quand on **a soif**, on boit.

On peut **réserver une table** : téléphoner pour avoir de la place.

La **carte**

L'**addition**

**Payer**

## • LE MENU 146

Des **menus** Je **prends le menu** à 15 euros.

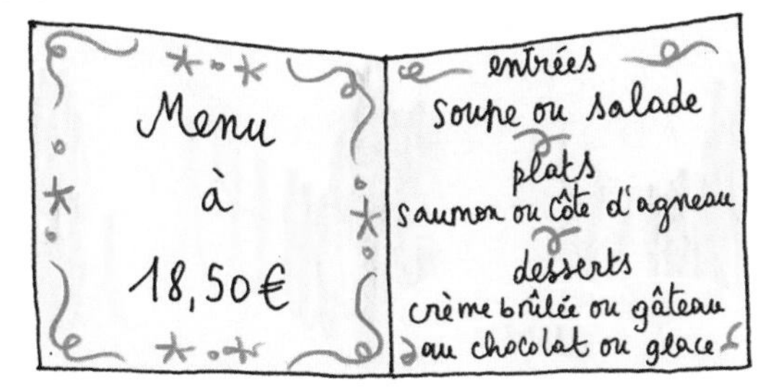


Dans un menu, il y a :

une **entrée,** par exemple une **soupe,** un **plat,** un **dessert,** par exemple un **gâteau** ou une **glace**.

Dans les menus, on peut parfois prendre du **fromage** et pas de dessert.

Au restaurant, à midi, si on ne veut pas de menu, on peut choisir seulement le **plat du jour** (il change tous les jours).

Souvent, les **boissons** (le vin, la bière, l'eau, le café) ne sont pas dans le menu.

### ▶ Pour communiquer

*– L'addition s'il vous plaît !*
*– Oui, monsieur, j'arrive !*

*– Tu prends une entrée ?*
*– Oui, une entrée et un plat du jour, mais pas de dessert.*

*– Bonjour, je voudrais réserver une table pour ce soir.*
*– Pour combien de personnes ?*
*– 3 personnes.*

## EXERCICES

L'ALIMENTATION ET LA RESTAURATION

**1. Écrivez la fin des mots.**

a. R É S E RVER
b. A D D I _ _ _ _
c. D E S _ _ _ _
d. R E S T _ _ _ _ _ _
e. M A N _ _ _
f. B O I _ _ _ _

**2. Remettez dans l'ordre.**

a. Il paie l'addition.
b. Il prend un plat du jour.
c. Il prend un café.
d. Il prend un dessert.
e. Il regarde la carte.
f. Il réserve une table.

| 1. | f |
|---|---|
| 2. | |
| 3. | |
| 4. | |
| 5. | |
| 6. | |

**3. Associez.**

a. J'ai faim. ○ → ○ 3. Je veux manger.
b. J'ai soif. ○
c. Je veux manger au restaurant. ○
d. Je veux un dessert. ○
e. Je veux payer. ○
f. Je veux une entrée. ○

○ 1. Je veux boire.
○ 2. Je réserve une table.
○ 3. Je veux manger.
○ 4. Je demande l'addition.
○ 5. Je prends une soupe.
○ 6. Je prends un gâteau.

**4. Écoutez et cochez.** 

a. La femme prend le plat du jour.
☒ Vrai. ☐ Faux.
b. Dans le menu enfant, il n'y a pas…
☐ …d'entrée. ☐ …de boisson.
c. Le dessert des enfants est…
☐ …une glace. ☐ …un gâteau.
d. Les enfants vont boire…
☐ …de l'eau. ☐ …du sirop.
e. L'homme et la femme prennent une entrée.
☐ Vrai. ☐ Faux.
f. La femme va prendre un dessert.
☐ Vrai. ☐ Faux.

**PRENEZ LA PAROLE !**

**5. Vous êtes au restaurant. Par deux, jouez le client et le serveur.**
**Ex. :** Je vais prendre le plat du jour, s'il vous plaît.

# 26

# Les courses

*Combien ça coûte ?*

OBSERVEZ  149

RÉPONDEZ

**1. Cochez.**

**a.** Ils font les courses.

☐ Vrai. ☐ Faux.

**b.** La femme veut acheter la viande…

☐ ...chez le boucher. ☐ ...au supermarché.

**c.** Après la boulangerie, ils vont au marché.

☐ Vrai. ☐ Faux.

**2. Associez**

On achète...

**a.** ...du pain... ○ ○ **1.** ...chez le boucher.

**b.** ...de la viande... ○ ○ **2.** ...à la boulangerie.

LES COMMERCES

MÉMORISEZ

## • LES COMMERCES 

Le **marché**

Le **supermarché**

Une **épicerie**

Un **magasin** / Une **boutique** (de vêtements par exemple)

Une **boucherie**

Une **boulangerie**

Une **poissonnerie**

Une **charcuterie**

## • LES PERSONNES

151

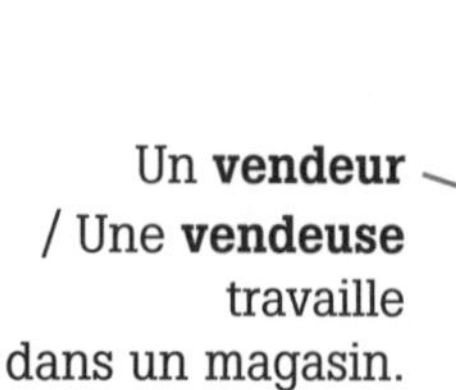

Un **vendeur** / Une **vendeuse** travaille dans un magasin.

Un **client** / Une **cliente** **achète** des choses.

Le **boucher** / La **bouchère**

Le **boulanger** / La **boulangère**

Le **poissonnier** / La **poissonnière**

Le **charcutier** / La **charcutière**

L'**épicier** / L'**épicière**

## • LE PAIEMENT

On **paie**...

...par **carte**.

...par **chèque**.

...en **espèces**.

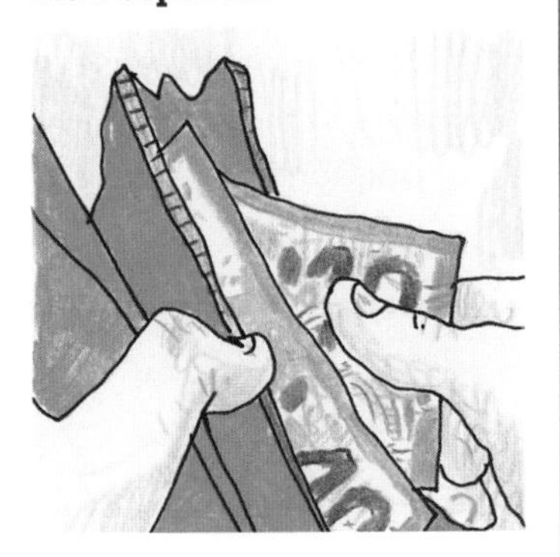

Le **prix**

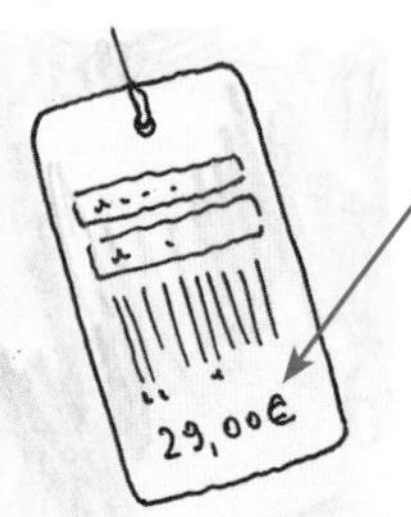


Ça **coûte** 29 euros.

C'est **cher**. / Ça coûte cher.
≠ Ce n'est pas cher. / Ça ne coûte pas cher.

### ▶ Pour communiquer

*– Monsieur, s'il vous plaît ?*
*Combien ça coûte ?*
*– 3,50 €.*
*– Oh, c'est cher !*

*– Je peux payer par carte ?*
*– Non, désolé, on ne prend pas les cartes. Vous pouvez payer par chèque ou en espèces.*

## EXERCICES

**1. Écoutez et soulignez le mot entendu.**  154

a. marché - supermarché
b. vendeur - vendeuse
c. cher - chèque
d. poissonnière - poissonnerie
e. prix - charcuterie
f. épicier - espèces
g. acheter - payer
h. coûte - boutique

**2. Associez.**

a. Dans une poissonnerie, il y a... ○ ○ 1. 

b. Dans une boutique, il y a... ○ ○ 2. 

c. Dans une charcuterie, il y a... ○ ○ 3. 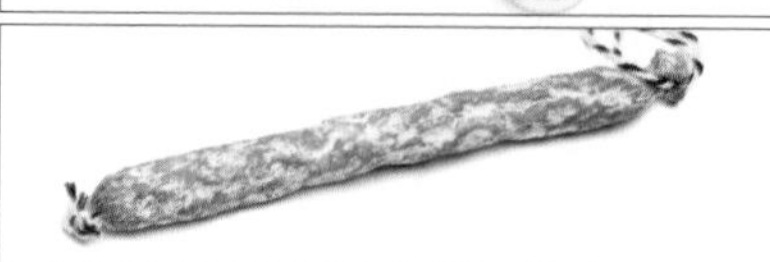

d. Dans une épicerie, il y a... ○ ○ 4. 

e. Dans une boulangerie, il y a... ○ ○ 5. 

**3. Complétez.**

a. Un boucher travaille dans une boucherie.
b. Un vendeur travaille dans un ..........
c. Une boulangère travaille dans une ..........
d. Un épicier travaille dans une ..........
e. Un charcutier travaille dans une ..........
f. Une poissonnière travaille dans une ..........

**4. Classez les mots.**

[ une boucherie - ~~une bouchère~~ - un charcutier - une charcuterie - un poissonnier - une poissonnerie - une boulangerie - un boulanger ]

| Personnes | Commerces |
|---|---|
| une bouchère | |
| | |
| | |
| | |

**PRENEZ LA PAROLE !**

**5. Par petits groupes, parlez des commerces de votre ville.**
Ex. : Dans ma ville, il y a un boucher…



LES COMMERCES

27

# Les vêtements

*Je dois acheter des gants.*



OBSERVEZ  155

RÉPONDEZ

**1. Elles sont dans un magasin de vêtements.**
☐ Vrai. ☐ Faux.

**2. La jeune fille va acheter la chemise.**
☐ Vrai. ☐ Faux.

**3. La jeune fille va essayer le pull et le T-shirt.**
☐ Vrai. ☐ Faux.

MÉMORISEZ

## • LES VÊTEMENTS 

Un **T-shirt**

Une **chemise**

Un **pull**

Un **pantalon**

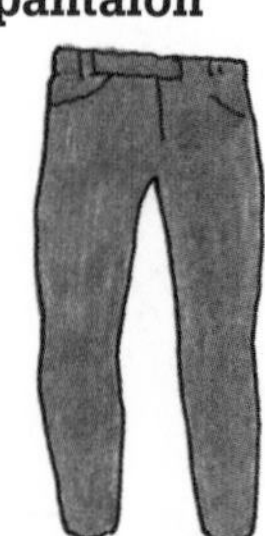

Un **jean**

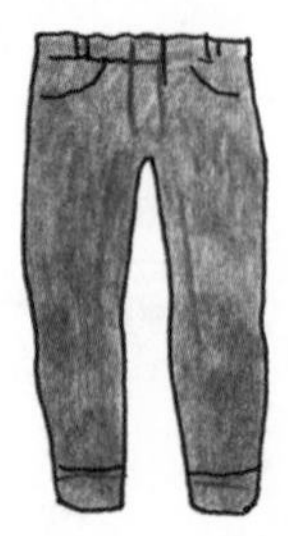

Une **jupe**

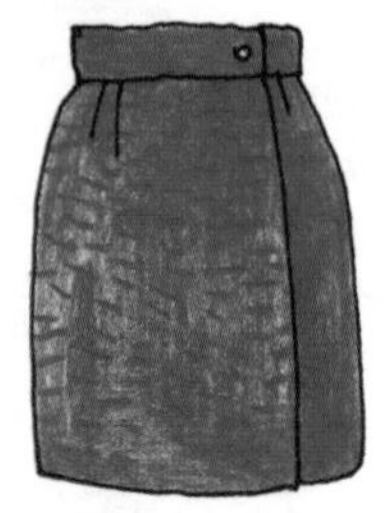

Une **veste**

Un **manteau**

Dans les magasins, on peut **essayer** les vêtements.

Il y a des **vêtements** pour **homme**, pour **femme** et pour **enfant**.

## • LES SOUS-VÊTEMENTS 
157

Des **slips**

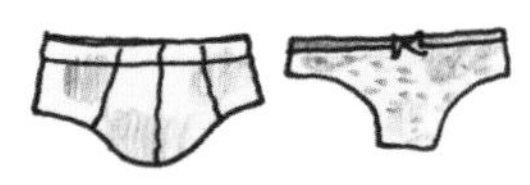

Un **soutien-gorge**

Un **collant**

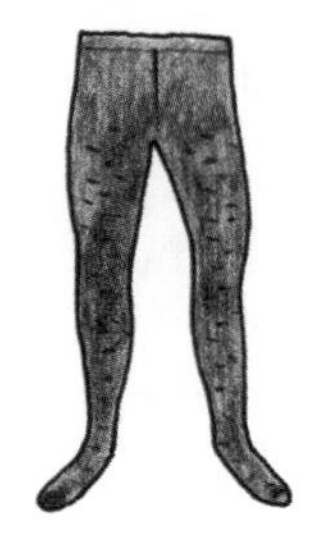

Des **chaussettes**

## • LES CHAUSSURES ET ACCESSOIRES 
158

Des **chaussures**

Des **lunettes**

Une **montre**

Des **gants**

Une **ceinture**

Un **chapeau**

Un **parapluie**

Un **sac à main**

### Pour communiquer 
159

*– Je ne veux pas mettre ce pull !*
*– Qu'est-ce que tu veux mettre alors ?*
*– Ma chemise blanche.*

*– Je dois acheter des gants.*
*– Et moi, un chapeau.*
*– Je connais un beau magasin.*

*– Merci pour le parapluie.*
*– De rien.*
*– Il pleut souvent ici !*

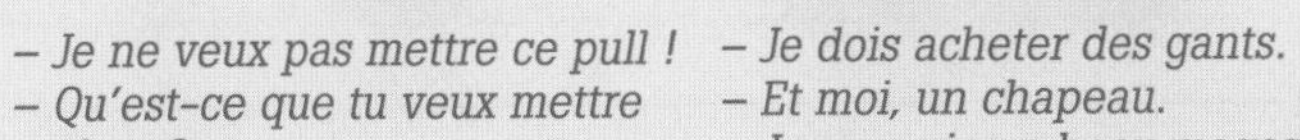

## EXERCICES

**1. Séparez les mots.**

chemise/chaussureslunettesgantschapeauchaussettes

**2. Classez les mots.**

[ ~~un sac à main~~ - une jupe - un manteau - des lunettes - une veste - un chapeau - un soutien-gorge - des gants ]

| Vêtements | Accessoires |
|---|---|
| ........................ | un sac à main |
| ........................ | ........................ |
| ........................ | ........................ |
| ........................ | ........................ |

**3. Regardez les images et écrivez le nom des vêtements et accessoires.**

| a. | b. | c. | d. | e. | f. |
|---|---|---|---|---|---|
| | | | | | |
| un T-shirt | ............ | ............ | ............ | ............ | ............ |

**4. Écoutez et cochez.**  160

a. La cliente va essayer…

☒ …un pull et un jean. ☐ …un pull et un pantalon noir.

b. La cliente va essayer aussi une chemise.

☐ Vrai. ☐ Faux.

c. La cliente préfère…

☐ …les chemises. ☐ …les T-shirts.

d. La cliente aime bien la ceinture.

☐ Vrai. ☐ Faux.

e. La cliente achète…

☐ …la ceinture. ☐ …le sac à main.

f. La cliente achète aussi un pull.

☐ Vrai. ☐ Faux.

### PRENEZ LA PAROLE !

**5. Deux par deux, dessinez un vêtement ou un accessoire, votre voisin(e) trouve la bonne réponse.**

Ex. : Un parapluie !

# 28

# Les maladies et les accidents

*J'ai un rhume et j'ai mal à la tête.*

OBSERVEZ  161

LA SANTÉ

RÉPONDEZ

**1. Paul est malade.**
☐ Vrai. ☐ Faux.

**2. Paul a mal...**
☐ ...à la tête. ☐ ...à la gorge.

**3. L'aspirine est un médicament.**
☐ Vrai. ☐ Faux.

**4. Paul ne va pas chez le médecin.**
☐ Vrai. ☐ Faux.

MÉMORISEZ

## • LES MALADIES ET ACCIDENTS  162

Il est **malade**.

Il **va chez le médecin**.

Un **accident**

Une **opération**

Elle **a mal à la gorge**.

Il **a mal à la tête**.

Il **a mal au ventre / à l'estomac**.

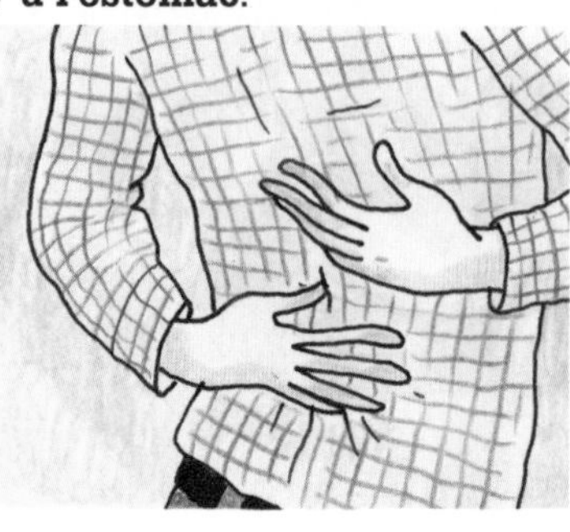

Elle **a mal aux dents**.

Il **a de la fièvre**.

Elle **a la grippe**.

Elle **a la varicelle**.

Elle **a un rhume**.

La grippe et la varicelle sont des **maladies**.

## • LES MÉDICAMENTS

163

Des **médicaments**

Elle **prend** des médicaments.

Elle **avale** le médicament.

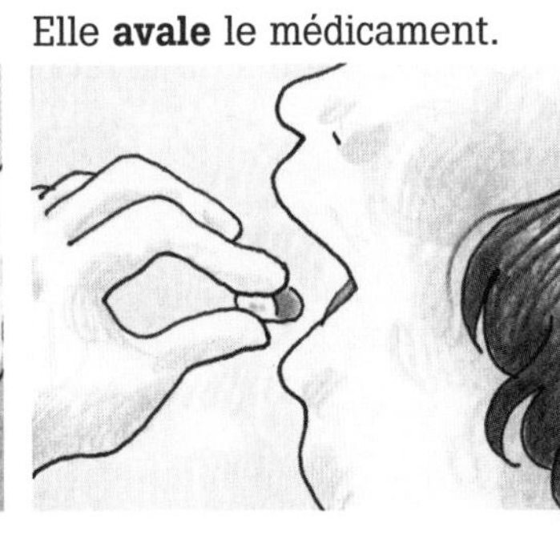

Elle a mal à la tête, elle prend de l'**aspirine**.

Le bébé a une otite, il doit prendre des **antibiotiques**.

Du **sirop**

Une boîte de **sparadraps**

### Pour communiquer

164

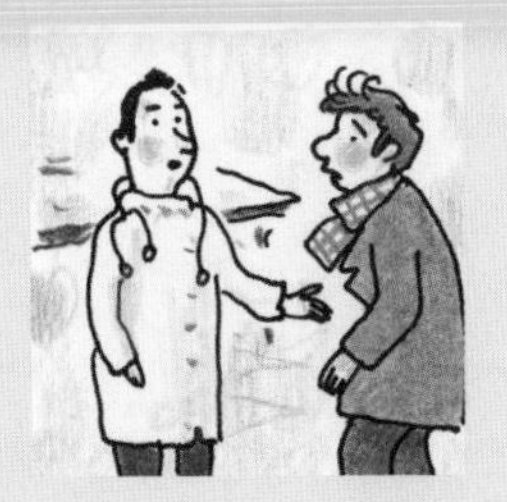

– *Alors, qu'est-ce qui ne va pas ?*
– *J'ai un rhume et j'ai mal à la tête.*

– *Mais tu as encore de la fièvre, mon chéri. Tu dois prendre de l'aspirine.*
– *Non, je n'aime pas l'aspirine, je préfère le sirop.*

– *Salut ! Tu vas où ?*
– *Je vais chez le médecin. Je suis malade.*

## EXERCICES

**1. Entourez 6 mots de la leçon.**

| E | P | L | S | M | I | U | S | T | N | A | V |
|---|---|---|---|---|---|---|---|---|---|---|---|
| A | N | T | I | B | I | O | T | I | Q | U | E |
| C | P | K | R | R | A | P | H | H | A | T | D |
| C | B | N | O | P | O | E | I | V | S | G | A |
| I | V | C | P | X | S | R | Q | P | I | R | O |
| D | W | S | D | G | M | A | L | A | D | I | E |
| E | A | A | Z | E | R | T | T | Y | U | P | I |
| N | A | E | R | T | Y | I | U | Y | T | P | F |
| T | Z | U | A | R | A | O | L | L | K | E | L |
| A | A | C | I | E | E | N | I | C | U | L | N |

**2. Associez.**

a. Il a mal à la tête.
b. Elle a un rhume.
c. Elle a mal à la gorge.
d. Elle a mal aux dents.
e. Il a de la fièvre.

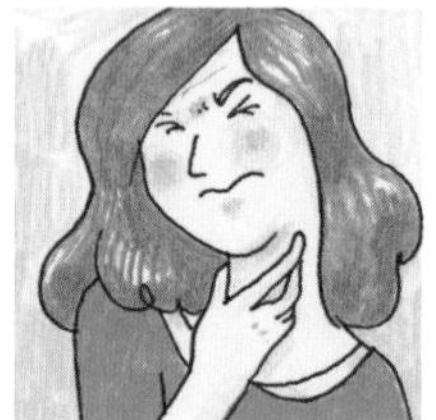

1. ..........
2. ..........
3. a
4. ..........
5. ..........

**3. Complétez.**

[ ~~sparadraps~~ - prendre de l'aspirine - chez le médecin - malade - mal au ventre - avaler ]

a. Une boîte de sparadraps, s'il vous plaît.
b. Ma fille a la varicelle, on doit aller ..........
c. J'ai mangé trop de chocolat, j'ai ..........
d. J'ai très mal à tête, je vais ..........
e. Allez, chéri, tu dois .......... le médicament.
f. Je suis .........., je ne peux pas aller à l'école.

**4. Écoutez et complétez.** 165

a. Il va chez le médecin.
b. Il prend ..........
c. Tu es .......... ?
d. Elle prend ..........
e. Elle a ..........
f. Il y a .......... ?

**PRENEZ LA PAROLE !**

**5. Qu'est-ce qu'il / elle fait ? Qu'est-ce qu'il / elle a ? Une personne mime, la classe répond.**
Ex. : Il a mal au ventre.

# Les métiers et les lieux de la santé

*Voici votre ordonnance.*

OBSERVEZ  166

Qu'est-ce qu'il dit le **médecin** ?
Ça va, mais je dois faire des **analyses**…
Allons-y alors. Il y a un **laboratoire d'analyses** juste à côté.
Et je dois passer à la **pharmacie**, j'ai une **ordonnance**.




RÉPONDEZ

**1. Ils sont chez le médecin.**
☐ Vrai. ☐ Faux.

**2. Pour faire des analyses, on va…**
☐ ...à la pharmacie. ☐ …dans un laboratoire d'analyses.

**3. Le médecin fait une ordonnance.**
☐ Vrai. ☐ Faux.

**4. On donne l'ordonnance à la pharmacie.**
☐ Vrai. ☐ Faux.

MÉMORISEZ

## • LES MÉTIERS DE LA SANTÉ  167

Un **médecin**

Un **chirurgien** / Une **chirurgienne** fait les opérations.

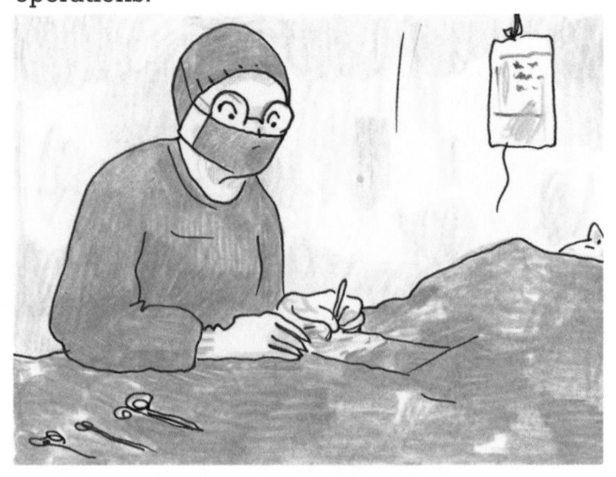

Un / Une **dentiste**

Un **infirmier** / Une **infirmière**

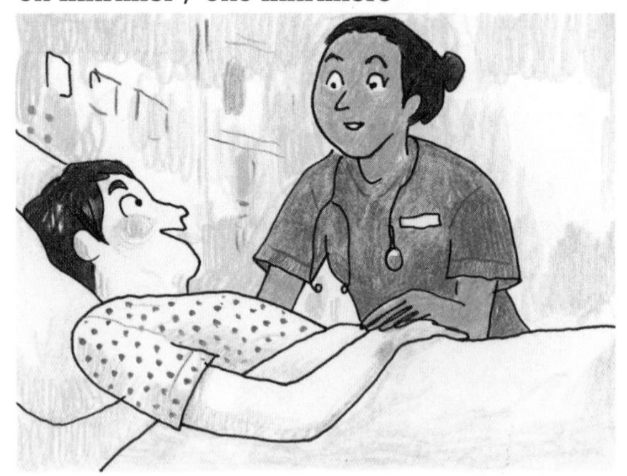

Un / Une **radiologue** regarde les **radios**.

Un **pharmacien** / Une **pharmacienne** regarde l'**ordonnance** et donne les médicaments.

## • LES LIEUX  168

Un médecin ou un dentiste travaille dans un **cabinet**.

Un **hôpital** / Une **clinique**

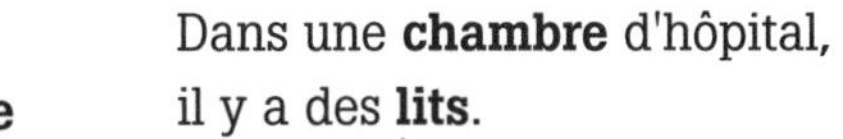

Dans une **chambre** d'hôpital, il y a des **lits**.

Les **urgences**

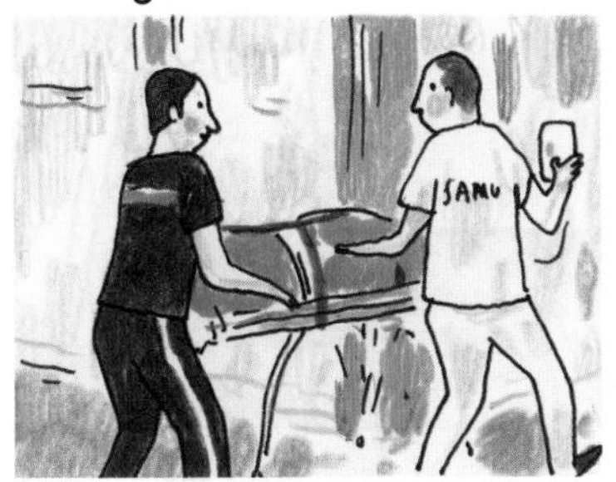


La **radiologie**

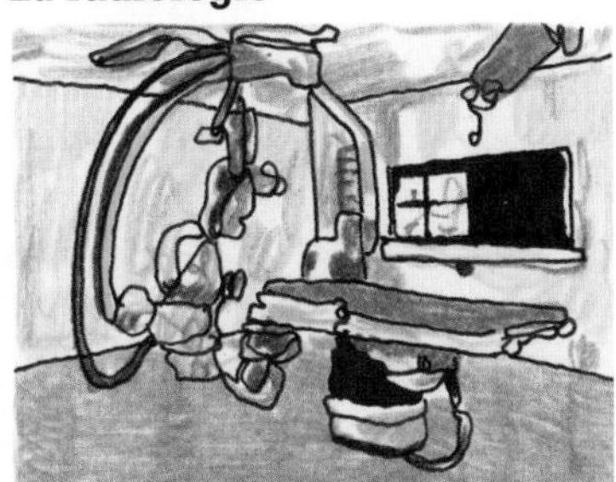

La **chirurgie**

La **maternité**

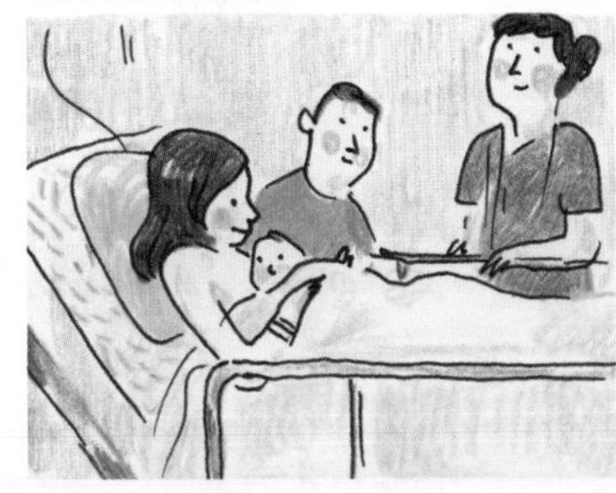

La **pharmacie**

On fait des **analyses** et des **examens** dans un **laboratoire d'analyses**.

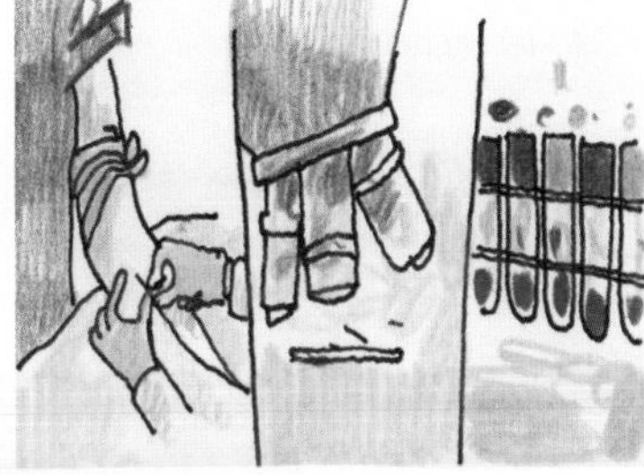

### Pour communiquer  169

*– Excusez-moi, je cherche la radiologie.*
*– C'est au premier étage.*
*– Merci.*

*– Voici votre ordonnance.*
*– Merci beaucoup, je vais à la pharmacie tout de suite.*

*– Ça va mieux ton mari ?*
*– Oui, il sort de l'hôpital demain. Le chirurgien dit que ça va très bien !*

## EXERCICES

**1. Complétez les professions.**

a. C H I R U R G I E N
b. R _ _ _ _ _ _ _ _ E
c. P H _ _ _ _ _ _ _ _ _ E
d. M _ _ _ _ _ N
e. D _ _ _ _ _ _ E
f. I _ _ _ _ _ _ _ R

**2. Complétez.**

[ lits - radio - ordonnance - cabinet - ~~examens~~ - chambre ]

a. On fait des ........examens........ dans un laboratoire d'analyses.
b. Un radiologue lit une ................................................ .
c. Un pharmacien lit une ................................................ .
d. Un dentiste travaille dans un ................................................ .
e. Dans une chambre d'hôpital, il y a des ................................................ .
f. À l'hôpital, on dort dans une ................................................ .

**3. Associez.**

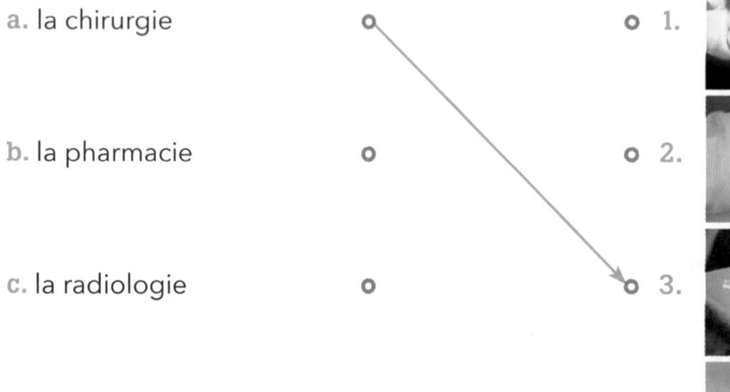

a. la chirurgie ○ ○ 1.
b. la pharmacie ○ ○ 2.
c. la radiologie ○ ○ 3.
d. un laboratoire d'analyses ○ ○ 4.
e. la maternité ○ ○ 5.

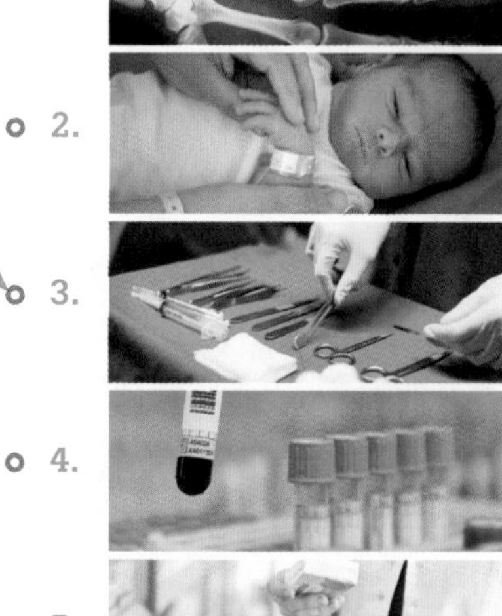

**4. Écoutez et classez les mots.** 170

| Métiers | Lieux |
| --- | --- |
| .................... | laboratoire d'analyses |
| .................... | .................... |
| .................... | .................... |
| .................... | .................... |

**PRENEZ LA PAROLE !**

**5. Choisissez un mot. Votre voisin(e) dit un mot associé.**

Ex. : Opération → Chirurgie

LA SANTÉ

30

# La ville

*Il y a une banque près d'ici ?*

OBSERVEZ  171

Nous sommes sur une très belle **place**,
la place Victor Hugo. À gauche, il y a l'**église**
Saint-Pierre, et à droite la **préfecture**.
Et cette **fontaine**,
elle est très ancienne ?

RÉPONDEZ

**1. Cochez.**

**a.** Ils visitent une ville.

☐ Vrai. ☐ Faux.

**b.** Sur la place, il y a…

☐ ...une fontaine. ☐ ...une banque.

**2. Associez**

**a.** L'église ○ ○ **1.** 

**b.** La préfecture ○ ○ **2.** 

MÉMORISEZ

## • LES PARTIES DE LA VILLE

Dans une ville, il y a des **quartiers** (différentes parties).

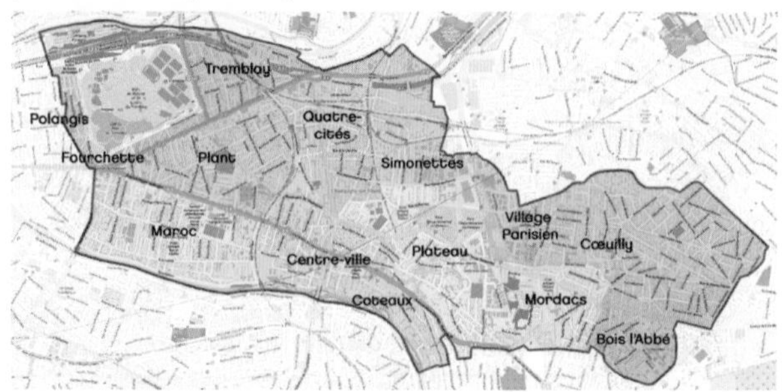


Une **place**

Une **fontaine**

Une **rue**

Un **marché**

Un **parc**

Une **rivière** / Un **fleuve** (rivière → fleuve → mer)

## • LES SERVICES PUBLICS

Un **commissariat de police**

Une **banque**

De l'**argent**

LA VILLE ET LA CAMPAGNE

Si on a un problème, on appelle les **secours** avec les **numéros d'urgence**. Par exemple, on fait le 18 pour appeler les **pompiers**.

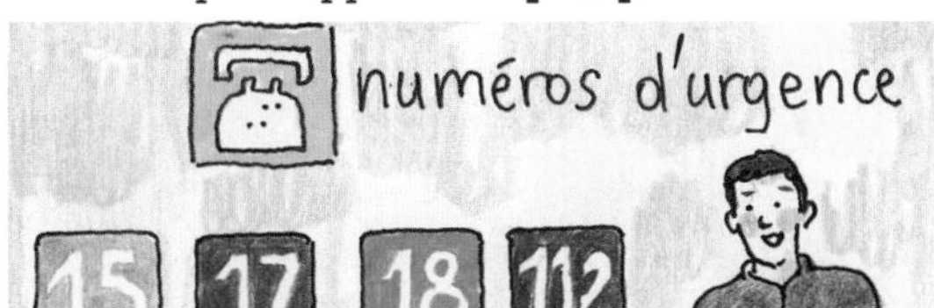


Pour faire une carte de séjour, on va à la **préfecture**.

## • LES LIEUX RELIGIEUX  174

Une **église**

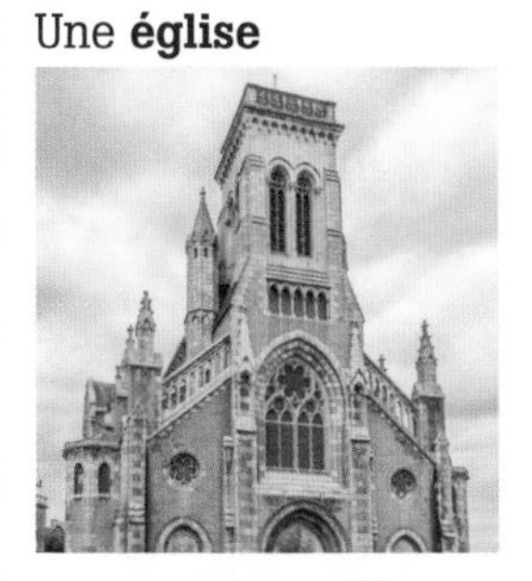

Une **mosquée**

Un **temple**

Une **synagogue**

## • LE ZOO  175

Les enfants aiment aller au **zoo**.

Il y a des **éléphants** et des **lions**.

### Pour communiquer  176

*– On va voir les éléphants ?*
*– Non, d'abord les lions !*

*– Il faut appeler les pompiers !*
*– C'est quoi le numéro ?*
*– Le 18.*

*– Je n'ai plus d'argent. Il y a une banque près d'ici ?*
*– Oui, dans la rue des Marronniers.*

LA VILLE ET LA CAMPAGNE

## EXERCICES

**1. Écoutez et associez.**  177

| | |
|---|---|
| a. RI | 1. TAINE |
| b. SYNA | 2. FECTURE |
| c. ÉLÉ | 3. PIER |
| d. PRÉ | 4. VIÈRE |
| e. POM | 5. GOGUE |
| f. FON | 6. PHANT |

(a → 4)

**2. Barrez l'intrus.**

a. éléphant - lion - ~~fontaine~~
b. banlieue - préfecture - commissariat
c. mosquée - rivière - synagogue
d. rue - numéros d'urgence - secours
e. parc - argent - banque
f. quartier - centre-ville - pompiers

**3. Cochez.**

a. Pour voir des lions, on va au parc.
☐ Vrai. ☒ Faux.
b. On veut de l'argent. On va à la banque.
☐ Vrai. ☐ Faux.
c. On appelle les pompiers. On fait le 15.
☐ Vrai. ☐ Faux.
d. On fait une carte de séjour à la préfecture.
☐ Vrai. ☐ Faux.
e. L'église est un lieu religieux.
☐ Vrai. ☐ Faux.
f. Le centre-ville est une place.
☐ Vrai. ☐ Faux.

**4. Regardez les images et complétez.**

a. On va acheter des fruits au ........ marché ........ .

b. La fontaine est sur la ................................ .

c. Le vendredi, il va à la ................................ .

d. Dans ma ville, il y a un ................................ .

e. Près de chez moi, il y a un ................................ .

f. J'habite dans cette ................................ .

**PRENEZ LA PAROLE !**

**5. Décrivez votre ville préférée.**
Ex. : Dans ma ville préférée, il y a une jolie place avec une fontaine…

31

# La campagne

*C'est beau la campagne !*

OBSERVEZ  178

Dans ma ferme, j'ai beaucoup d'**animaux**. Voilà les **cochons** !
On va voir les **vaches** aussi ?
Oui, mais on va voir les **lapins** d'abord.
Ah ! Il y a une **poule** !

RÉPONDEZ

**1. Cochez.**

**a.** Ils visitent une ferme.

☐ Vrai. ☐ Faux.

**b.** Dans une ferme, il n'y a pas d'animaux.

☐ Vrai. ☐ Faux.

**2. Associez.**

**a.** Un cochon o    o **1.** 

**b.** Une vache o    o **2.**  

**c.** Un lapin o    o **3.** 

**d.** Une poule o    o **4.** 

MÉMORISEZ

## • LES PAYSAGES  179

La **campagne**

Un **village**

Une **forêt**

Un **jardin**

Un **champ**

Un **chemin**

## • DES ANIMAUX  180

Un **chat**

Un **chien**

Une **poule**

Une **vache**

Un **cochon**

Un **lapin**

Un **oiseau**

## • LA FLORE 

Un **arbre**

Une **plante**

La **rose** est une **fleur**.

Un **bouquet**

## Pour communiquer 

*– Maman, je veux un lapin, j'adore cet animal.*
*– Ce n'est pas possible, on a un chien !*

*– C'est beau la campagne !*
*– Oui, les champs, les arbres, les fleurs, c'est magnifique !*

*– Merci beaucoup. Ce bouquet est très beau !*
*– Je sais que tu aimes les roses.*

## EXERCICES

**1. Écoutez et soulignez le mot entendu.** 183

a. plante - champ - <u>arbre</u>
b. chien - champ - chat
c. village - vache - paysage
d. lapin - cochon - campagne
e. bouquet - forêt - fleur
f. jardin - chemin - chien

**2. Classez les mots.**

[ ~~un lapin~~ - une fleur - un arbre - une rose - un cochon - une poule - une plante - un oiseau ]

| Les animaux | La flore |
|---|---|
| un lapin | ........ |
| ........ | ........ |
| ........ | ........ |
| ........ | ........ |

**3. Cochez.**

a. C'est ☒ un chat. ☐ un chien.

b.  C'est ☐ une plante. ☐ une fleur.

c.  C'est ☐ une forêt. ☐ un champ.

d.  C'est ☐ une poule. ☐ un lapin.

e.  C'est ☐ un jardin. ☐ la campagne.

**4. Complétez.**

[ campagne - ~~forêt~~ - animaux - chemin - vache - bouquet ]

a. Les arbres sont grands dans la ........ forêt ........ .
b. Il est beau le ........ de roses.
c. Quel ........ je dois prendre pour aller à la ferme ?
d. À la ferme, il y a beaucoup d'........ .
e. J'habite à la ........ .
f. Il a deux lapins, une poule et une ........ .

**PRENEZ LA PAROLE !**

**5. Une personne commence la phrase. Le / La voisin(e) répète la phrase et ajoute un mot.**
**Ex. :** À la campagne, il y a des vaches. → À la campagne, il y a des vaches et des champs...

32

# La communication et le numérique

*Tu connais cette application ?*

OBSERVEZ  184

RÉPONDEZ

**1. La femme veut téléphoner à Isabelle.**
☐ Vrai. ☐ Faux.

**2. L'homme n'a pas le numéro de téléphone d'Isabelle.**
☐ Vrai. ☐ Faux.

**3. Le 06 89 57 30 67 est le numéro de téléphone d'Isabelle.**
☐ Vrai. ☐ Faux.

MÉMORISEZ

## • LE TÉLÉPHONE ET LE NUMÉRIQUE  185

Un **téléphone portable** 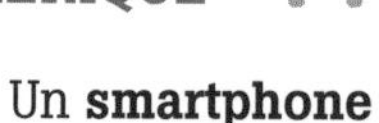 Un **smartphone** Une **tablette**

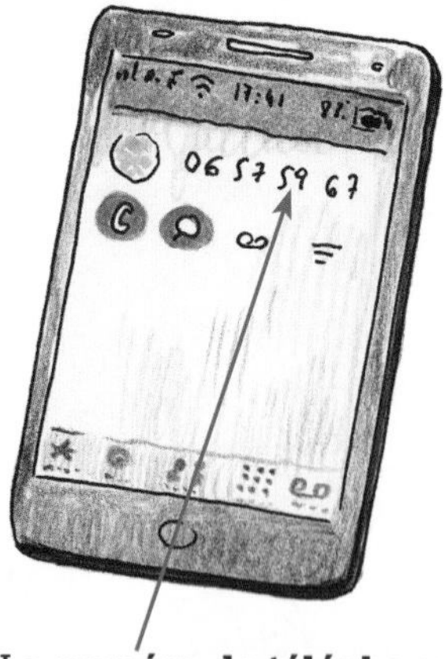


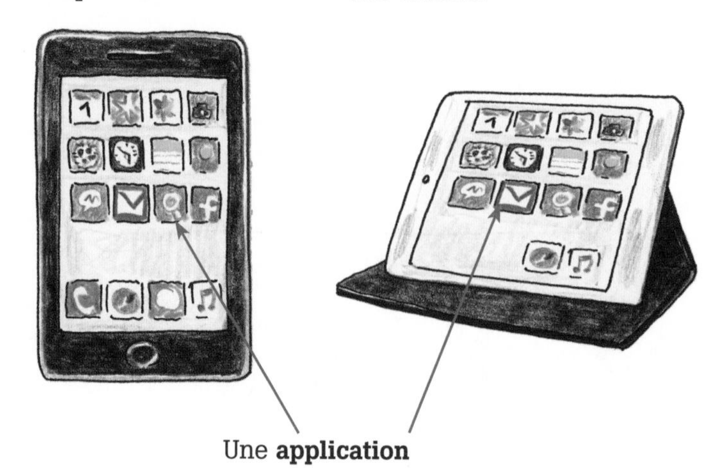

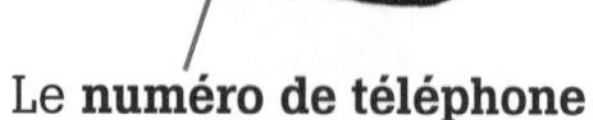

Le **numéro de téléphone**

Une **application**

Il **téléphone**.

Il écrit un **message** / un **sms**.

Un **ordinateur**

Un **ordinateur portable**

On peut utiliser **Internet** avec un smartphone, une tablette et un ordinateur.

**Recevoir** un **mél** / un **courriel**

**Répondre**

**Envoyer** un courriel / un mél

**Poster** des commentaires sur des réseaux sociaux (Facebook, Twitter, LinkedIn…)

**Liker**

## • LA POSTE  186

La **poste**

Une **lettre** / Un **courrier**

Une **carte postale**

Un **colis**

Une **boîte aux lettres**

Une **enveloppe**

Une **adresse** Un **timbre**

### Pour communiquer  187

*– Bonjour, je voudrais envoyer une lettre en Colombie.*
*– Voici votre timbre.*

*– On va manger ?*
*– Je dois répondre à un mél avant.*

*– Tu connais cette application ?*
*– Oui, elle est très bien.*

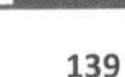

## EXERCICES

**1. Séparez les mots.**

liker/téléphonerposterrépondreenvoyerrecevoir

**2. Classez.**

[ ~~un courrier~~ - un courriel - une tablette - un colis - une carte postale - une application - un smartphone - une lettre ]

| La poste | Le téléphone et le numérique |
|---|---|
| ........ un courrier ........ | .................... |
| .................... | .................... |
| .................... | .................... |
| .................... | .................... |

**3. Complétez.**

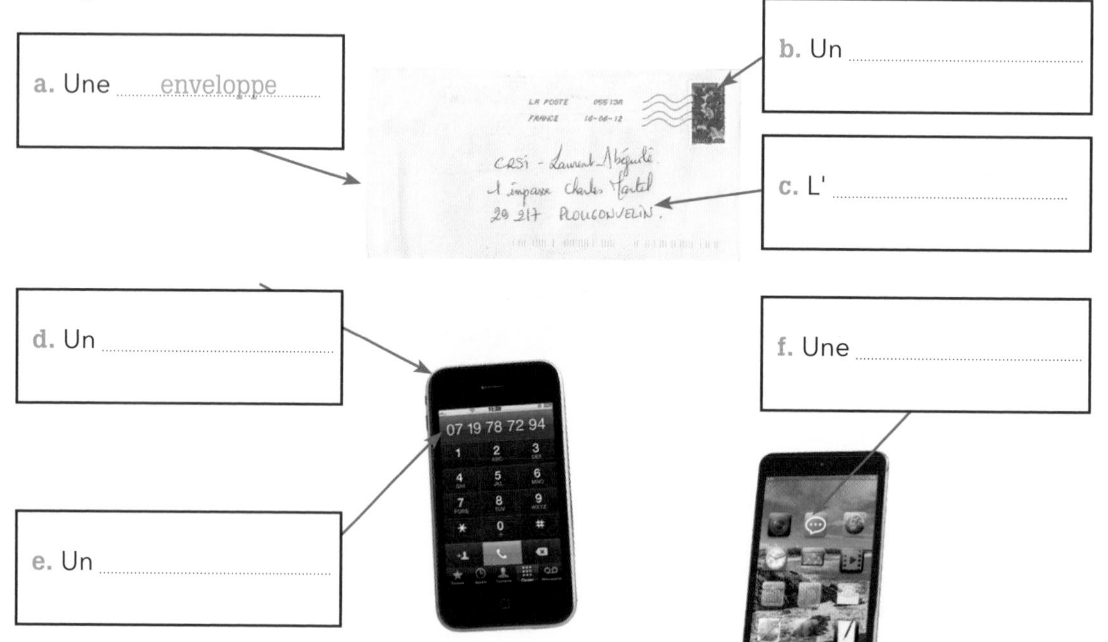


**4. Écoutez et complétez.**  188

a. Je vais à la ........ poste ........ .

b. Il y a une .................... ici ?

c. Je dois envoyer un .................... .

d. Tu dois .................... à son mél.

e. J'aime .................... des messages.

f. J'ai un nouvel .................... .

**PRENEZ LA PAROLE !**

**5. Complétez le mot de votre voisin(e).**

Ex. : Un smart... → phone !

# 33

# L'administration française

*Bonjour, je viens pour un titre de séjour.*

OBSERVEZ  189

RÉPONDEZ

**1. Cochez.**

**a.** Elles parlent de l'administration française.

☐ Vrai. ☐ Faux.

**b.** La CAF et la préfecture sont des lieux administratifs.

☐ Vrai. ☐ Faux.

**2. Associez.**

**a.** La CAF ○ ○ **1.** La carte de séjour

**b.** La préfecture ○ ○ **2.** L'Aide Personnalisée au Logement (APL)

LA COMMUNICATION ET L'ADMINISTRATION

MÉMORISEZ

## • L'EMPLOI ET LE LOGEMENT  190

La **CAF** (Caisse d'Allocations Familiales) s'occupe des familles et du logement.

Le **Pôle emploi** s'occupe des personnes qui cherchent un travail.

ALLOCATIONS FAMILIALES — msa santé famille retraite services — **Demande d'aide au logement** — cerfa 10840*06

*Merci de compléter également un formulaire de déclaration de situation.*

Art. L.542-1 et suivants, L.831-1 et suivants du code de la Sécurité sociale
Art. L.351-1 et suivants du code de la Construction et de l'habitation

➤ Merci de rappeler votre identité

Nom de famille : ............ *(nom de naissance)* Prénom : ............
Nom d'usage : ............ *(facultatif et s'il y a lieu)*
Date de naissance : __ __ ____
Numéro d'allocataire *(si vous en possédez un)* : ............ ☐☐☐☐☐☐☐
Numéro de sécurité sociale : ...
Adresse du logement pour lequel vous demandez l'aide : n° ...... Type de voie *(rue, boulevard, ...)* : ............
Complément : ............
Code postal : ........ Commune : ............
Numéros de téléphone - Domicile : .......... Autre *(travail ou portable)* : ..........
Adresse mél : ............ @ ............
Depuis quelle date résidez-vous à cette adresse ? __ __ ____
Ce logement est-il votre résidence principale ? ☐ oui ☐ non

À la CAF, on peut demander l'**APL** (Aide Personnalisée au Logement). On doit **remplir un formulaire** (écrire les informations demandées).

La CAF **accepte** 🙂 (elle aide la personne à payer le loyer) ou **refuse** 🙁 la **demande**.

Quand on cherche un travail, on doit **s'inscrire** (être sur la liste) à Pôle emploi.
Pour l'**inscription**, on doit aussi remplir un formulaire.

## • LA MAIRIE ET LE TRIBUNAL  191

La **mairie**

Le **tribunal**

Le **tribunal** est le lieu de la **justice.**

Pour **se marier**, on va à la mairie. Le **mariage** est un jour important.

Quand on ne veut plus être marié, on divorce. Pour **divorcer**, on va au tribunal.

## • LA PRÉFECTURE

La **préfecture**

Avec un **titre de séjour**, un étranger peut vivre en France.

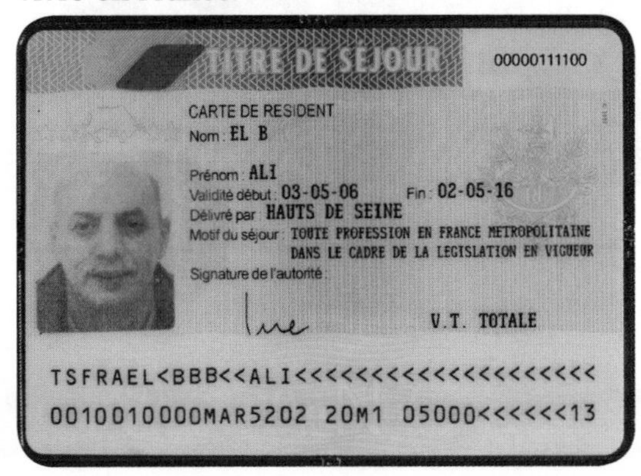

TITRE DE SÉJOUR 00000111100
CARTE DE RESIDENT
Nom : EL B
Prénom : ALI
Validité début : 03-05-06 Fin : 02-05-16
Délivré par : HAUTS DE SEINE
Motif du séjour : TOUTE PROFESSION EN FRANCE METROPOLITAINE DANS LE CADRE DE LA LEGISLATION EN VIGUEUR
Signature de l'autorité
V.T. TOTALE
TSFRAEL<BBB<<ALI<<<<<<<<<<<<<<<<<<<<<
0010010000MAR5202 20M1 05000<<<<<<13

Pour avoir un titre de séjour / une **carte de séjour** / un **permis de séjour**, on va à la préfecture.

### Pour communiquer

*– Regarde, il y a un mariage aujourd'hui !*
*– Oui… J'aimerais bien me marier moi aussi !*

*– J'ai rendez-vous à Pôle emploi à 15 heures.*
*– Tu vas t'inscrire ?*
*– Non, l'inscription, c'est sur Internet.*

*– Bonjour, je viens pour un titre de séjour.*
*– D'accord. Quel est votre nom ?*

## EXERCICES

**1. Écoutez et soulignez les mots entendus.**  194

| | | |
|---|---|---|
| <u>inscription</u> | mairie | APL |
| s'inscrire | accepter | CAF |
| refuser | se marier | titre de séjour |
| mariage | carte de séjour | demande |

**2. Associez.**

a. le mariage. c. le divorce e. un formulaire
b. le tribunal d. la justice

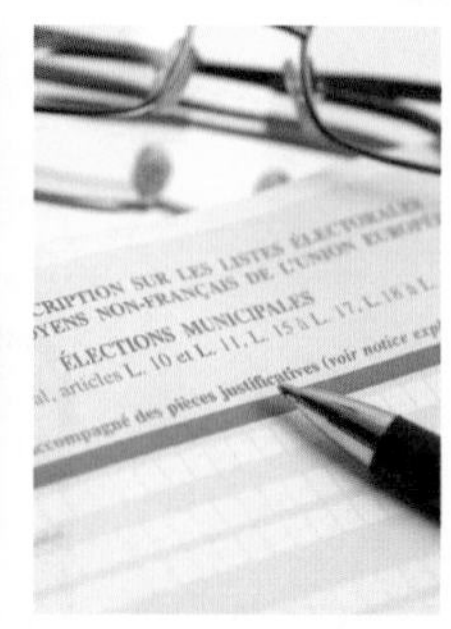

1. ............ 2. ............ 3. ............ 4. ............ 5. ....a....

**3. Cochez.**

a. On demande l'APL...
☒ ...à la CAF. ☐ ...à la mairie.

b. Pour se marier, on va...
☐ ...à la préfecture. ☐ ...à la mairie.

c. Pour divorcer, on va...
☐ ...à la mairie. ☐ ...au tribunal.

d. Pour demander l'APL, on doit...
☐ ...remplir un formulaire. ☐ ...s'inscrire.

e. Pour demander une carte de séjour, on va...
☐ ...à la CAF. ☐ ...à la préfecture.

f. Quand on cherche du travail on s'inscrit...
☐ ...à Pôle emploi. ☐ ...à la CAF.

**4. Complétez.**

[ refuser - une carte de séjour - s'inscrire - demande - ~~APL~~ - remplir un formulaire ]

a. L' ....APL...., c'est une aide au logement.
b. Il va ............ à Pôle emploi.
c. Pour s'inscrire, elle doit ............ .
d. Je vais faire une ............ d'APL à la CAF.
e. Je suis étranger, je dois avoir ............ .
f. On peut accepter ou ............ une demande.

 **PRENEZ LA PAROLE !**

**5. Dites à votre voisin(e) la première et la dernière lettre d'un mot. Il / Elle le trouve.**
Ex. : J / E → Justice !

# Bilans

# L'IDENTITÉ

## 1. Associez. ... / 5

a. 61 ○
b. 71 ○
c. 80 ○
d. 24 ○
e. 14 ○

○ 1. soixante et onze
○ 2. vingt-quatre
○ 3. soixante et un
○ 4. quatorze
○ 5. quatre-vingts

## 2. Cochez. ... / 5

a. Il est né le 31 août. Il est né au printemps.
☐ Vrai. ☐ Faux.
b. Le matin, on dit « bonsoir ».
☐ Vrai. ☐ Faux.
c. C'est un homme. Il est de sexe masculin.
☐ Vrai. ☐ Faux.
d. Elle est née le 12 septembre. Son anniversaire est le 12 septembre.
☐ Vrai. ☐ Faux.
e. Il s'appelle Paul Dupont. Son prénom est Dupont.
☐ Vrai. ☐ Faux.

## 3. Barrez l'intrus. ... / 5

a. bonjour - au revoir - bonsoir - nom
b. mars - printemps - avril - janvier
c. merci - hiver - automne - été
d. égyptien - allemand - cinquante - nigérian
e. rue - avenue - étage - boulevard

## 4. Classez les mots. ... / 10

[ le Canada - l'Allemagne - algérien - marocain - la Chine - chinois - allemand - canadien - le Maroc - l'Algérie ]

| Les pays | Les nationalités |
|---|---|
| ........ | ........ |
| ........ | ........ |
| ........ | ........ |
| ........ | ........ |
| ........ | ........ |

## 5. Lisez et répondez. ... / 5

Il s'appelle Jacques Marlon. Il est né le 5 février à Lyon, en France. Il a 39 ans. Il habite à Lyon, 21 boulevard Diderot.

a. Quel est son nom de famille ?
........
b. Quelle est sa nationalité ?
........
c. Il est né où ?
........
d. Il a quel âge ?
........
e. Quelle est son adresse ?
........

## 6. Complétez. ... / 5

[ rue - habite - mars - vietnamien - s'il vous plaît ]

a. Il est né au Vietnam. Il est ........ .
b. Monsieur Lemaire est né le 21 ........ .
c. J'habite au 6 ........ de la République.
d. Vous pouvez épeler votre nom, ........ ?
e. Elle ........ à Marseille.

## 7. Remettez dans l'ordre. ... / 5

a. Merci.
b. Vous pouvez épeler ?
c. Dubois.
d. Bonjour, votre nom s'il vous plaît.
e. D - U - B - O - I - S

| 1. | 2. | 3. | 4. | 5. |
|---|---|---|---|---|
| ........ | ........ | ........ | ........ | ........ |

TOTAL
.... /40

# L'ÊTRE HUMAIN

**1. Barrez l'intrus.** ... / 5

a. cheveux - brun - mince
b. ventre - petit - mesurer
c. homme - bras - femme
d. cœur - content - heureux
e. châtain - roux - timide

**2. Soulignez les mots positifs.** ... / 6

amoureux laid courageux
triste malheureux bête
content intelligent heureux beau

**3. Complétez.** ... / 6

a. Il parle beaucoup, il est ........................................
b. Il mesure 1 mètre 90, il est ........................................
c. Elle n'est pas belle, elle est ........................................
d. Les cheveux sont sur la ........................................
e. Le parfum a une bonne ........................................
f. Le bébé a la ........................................ douce.

**4. Associez les contraires (≠).** ... / 5

| | |
|---|---|
| a. C'est sucré. ○ | ○ 1. Elle est blonde. |
| b. Ça sent bon. ○ | ○ 2. Elle est maigre. |
| c. Elle aime. ○ | ○ 3. C'est salé. |
| d. Elle est brune. ○ | ○ 4. Ça sent mauvais. |
| e. Elle est grosse. ○ | ○ 5. Elle déteste. |

**5. Cochez.** ... / 5

a. Nous avons 5 doigts sur la main.
☐ Vrai. ☐ Faux.
b. Les dents sont dans la bouche.
☐ Vrai. ☐ Faux.
c. Elle ne porte pas de lunettes. = Elle voit bien.
☐ Vrai. ☐ Faux.
d. On a une jambe et deux pieds.
☐ Vrai. ☐ Faux.
e. Il est intelligent. = Il est bête.
☐ Vrai. ☐ Faux.

**6. Classez.** ... / 5

[ timide - les cheveux gris - méchant - courageux - petite ]

| Caractéristiques physiques | Caractéristiques morales |
|---|---|
| ........................................ | ........................................ |
| ........................................ | ........................................ |
| ........................................ | ........................................ |

**7. Associez.** ... / 8

| | |
|---|---|
| a. entendre ○ | |
| b. la peau douce ○ | ○ 1. l'oreille |
| c. écouter ○ | ○ 2. la main |
| d. Ça sent bon ! ○ | ○ 3. le nez |
| e. C'est bon ! ○ | ○ 4. la bouche |
| f. voir ○ | ○ 5. les yeux |
| g. goûter ○ | |
| h. regarder ○ | |

TOTAL
.... / 40

# LES RELATIONS FAMILIALES

## 1. Associez. ... / 6

| | |
|---|---|
| a. le grand-père | 1. la sœur |
| b. le papa | 2. la grand-mère |
| c. le frère | 3. la maman |
| d. le beau-père | 4. la fille |
| e. le petit-fils | 5. la belle-mère |
| f. le fils | 6. la petite-fille |

## 2. Soulignez le bon mot. ... / 6

a. Sa femme est morte. Il est [ célibataire / veuf ].
b. C'est la mère de ma mère. C'est ma [ grand-mère / maman ].
c. Ils ont une fille et un fils. Ils ont deux [ enfants / sœurs ].
d. Leur mariage est fini. Ils sont [ célibataires / divorcés ].
e. C'est la femme de mon père. C'est ma [ mère / sœur ].
f. C'est le père de ma femme. C'est mon [ grand-père / beau-père ].

## 3. Complétez. ... / 6

[ couple - mariage - frère - situation familiale - famille - célibataire ]
a. J'ai quatre frères et sœurs, on est une grande ..................................................
b. Mes parents ont deux enfants, mon .................................................. et moi.
c. Ils s'aiment. Ils sont en ..................................................
d. – Quelle est sa .................................................. ?
– Il est marié.
e. Ils se marient en septembre, ils organisent leur ..................................................
f. Il vit seul. Il est ..................................................

## 4. Cochez. ... / 6

a. Ils sont mari et femme. Ils sont...
☐ ...mariés. ☐ ...célibataires.
b. Son mari est mort. Elle est...
☐ ...divorcée. ☐ ...veuve.
c. C'est le mari de ma mère. C'est mon...
☐ ...père. ☐ ...fils.
d. C'est la mère de mon mari. C'est ma...
☐ ...belle-mère. ☐ ...grand-mère.
e. C'est mon papa. C'est mon...
☐ ...grand-père. ☐ ...père.
f. Ce sont les enfants de mes parents. Ce sont mes...
☐ ...grands-parents. ☐ ...frères et sœurs (et moi).

## 5. Complétez. ... / 6

a. Mon grand-père, c'est le .................................................. de ma mère.
b. Mon père, c'est le .................................................. de mes grands-parents.
c. Ma petite-fille c'est la .................................................. de mon fils.
d. Ma belle-mère, c'est la .................................................. de ma femme.
e. Mon fils, c'est le .................................................. de mes parents.
f. Ma fille, c'est la .................................................. de mon fils.

## 6. Remettez dans l'ordre. ... / 5

a. Ils se marient.
b. Ils divorcent.
c. Jean est célibataire. Il rencontre Rose.
d. Ils sont mari et femme.
e. Ils sont en couple.

| 1. | 2. | 3. | 4. | 5. |
|---|---|---|---|---|
| ............ | ............ | ............ | ............ | ............ |

## 7. Lisez et cochez. ... / 5

Je m'appelle Alice. Mon père s'appelle Damien et ma mère s'appelle Marion. J'ai un frère, il s'appelle Étienne. Le père de ma mère s'appelle Sébastien et la mère de ma mère s'appelle Gabrielle. Mon deuxième grand-père s'appelle Charles, ma deuxième grand-mère, Joselyne, est morte.

a. Le père d'Étienne s'appelle Damien.
☐ Vrai. ☐ Faux.
b. Damien et Marion ont deux enfants.
☐ Vrai. ☐ Faux.
c. Sébastien est le beau-père d'Alice.
☐ Vrai. ☐ Faux.
d. Gabrielle est la grand-mère de Damien.
☐ Vrai. ☐ Faux.
e. Charles est veuf.
☐ Vrai. ☐ Faux.

TOTAL .... / 40

# LES LOISIRS

**1. Classez les mots.** ... / 6
[ stade - théâtre - terrain - piscine - cinéma - concert ]

| Lieux sportifs | Lieux culturels |
|---|---|
| .................. | .................. |
| .................. | .................. |
| .................. | .................. |

**2. Soulignez les bons mots.** ... / 4
Un musicien fait [ du violon / du basket / de la trompette / du ski / du badminton / de la batterie / de la natation / de la flûte ].

**3. Cochez.** ... / 5
a. Pour voir une pièce, on va au...
☐ ...cinéma. ☐ ...théâtre.
b. On fait du rugby...
☐ ...sur un terrain. ☐ ...dans une piscine.
c. On danse...
☐ ...à un concert. ☐ ...dans un stade.
d. Pour voir un film, on va...
☐ ...à un concert. ☐ ...au cinéma.
e. Il fait de la flûte, il est...
☐ ...musicien. ☐ ...acteur.

**4. Associez.** ... / 5
a. Il fait du cyclisme. ○ ○ 1. Il se promène.
b. Il est musicien. ○ ○ 2. Il fait du vélo.
c. Il fait de la course à pied. ○ ○ 3. Il fait du piano.
d. Il fait de la marche à pied. ○ ○ 4. Il fait de la natation.
e. Il va à la piscine. ○ ○ 5. Il court.

**5. Cochez.** ... / 5
a. La batterie est un instrument de musique.
☐ Vrai. ☐ Faux.
b. Un comédien joue dans un film.
☐ Vrai. ☐ Faux.
c. On nage dans une piscine.
☐ Vrai. ☐ Faux.
d. On achète une place de cinéma.
☐ Vrai. ☐ Faux.
e. Quand on perd un match, c'est positif.
☐ Vrai. ☐ Faux.

**6. Complétez.** ... / 5
[ gagne - chante - sort - guitare - fait ]
a. Elle .................. à un concert.
b. Il joue de la .................. .
c. Elle .................. au théâtre.
d. On .................. un match.
e. Il .................. du judo.

**7. Complétez.** ... / 5
a. On va voir une .................. au théâtre.
b. Il regarde un .................. de tennis à la télévision.
c. Elle va au cinéma pour .................. un film.
d. Il .................. du violon.
e. Je fais de la .................. classique deux fois par semaine.

**8. Devinettes. Écrivez.** ... / 5
a. C'est une personne. Elle joue dans un film :
..................
b. C'est une personne. Elle joue d'un instrument de musique : ..................
c. C'est un lieu. On va dans ce lieu pour voir une pièce : ..................
d. C'est un sport. On pratique ce sport à la piscine :
..................
e. C'est un lieu. On fait du football dans ce lieu :
..................

TOTAL
.... / 40

# LA VIE QUOTIDIENNE

**1. Entourez les 8 mots.** ... / 8

2 moments de la journée : M.............. / S..............
1 jour de la semaine : D..............
3 mots de l'hygiène : S.............. / S.............. / D..............
2 mots de l'heure : M.............. / M..............

| M | I | D | I | I | O | P | H | K | G | N |
|---|---|---|---|---|---|---|---|---|---|---|
| I | N | I | U | T | R | M | S | D | S | D |
| N | F | M | J | S | A | V | O | N | Q | E |
| U | X | A | T | E | S | A | I | E | W | E |
| I | S | N | Y | E | U | M | R | M | F | Q |
| T | T | C | F | D | E | B | F | A | U | I |
| J | H | H | U | F | R | U | S | T | A | U |
| B | D | E | N | T | I | F | R | I | C | E |
| S | S | H | A | M | P | O | I | N | G | B |

**2. Barrez l'intrus.** ... / 6

a. peigne - shampoing - semaine
b. sale - mercredi - propre
c. gel douche - se laver - dormir
d. Il prend un bain. - Il se lève. - Il se couche.
e. Elle dort. - Elle se repose. - Elle fait le ménage.
f. heure - nuit - après-midi

**3. Soulignez le vocabulaire de l'hygiène.** ... / 5

Il va à l'école. - Il se brosse les dents. - Elle prend une douche. - Elle travaille. - Il fait la cuisine. - Il se coiffe. - Il fait le ménage. - Il se lave. - Il se rase.

**4. Associez.** ... / 6

a. À quelle heure tu te lèves ?
b. Quels jours tu ne travailles pas ?
c. Quelle heure est-il ?
d. Vous avez l'heure s'il vous plaît ?
e. Quel moment de la journée tu préfères ?
f. Tu fais la cuisine ?

1. Il est deux heures moins le quart.
2. Oui, il est quinze heures.
3. Le matin.
4. À 6 heures.
5. Le samedi et le dimanche.
6. Oui, le soir, pour le dîner.

| a. | b. | c. | d. | e. | f. |
|---|---|---|---|---|---|
| .............. | .............. | .............. | .............. | .............. | .............. |

**5. Cochez.** ... / 5

a. Il est seize heures. = C'est l'après-midi.
☐ Vrai. ☐ Faux.
b. À midi, on dîne.
☐ Vrai. ☐ Faux.
c. Il utilise un rasoir pour se raser.
☐ Vrai. ☐ Faux.
d. Quinze heures quarante-cinq = Quatre heures moins le quart
☐ Vrai. ☐ Faux.
e. Il utilise une brosse à dents pour se coiffer.
☐ Vrai. ☐ Faux.

**6. Soulignez le bon mot.** ... / 5

a. Il est au supermarché. Il fait [ la cuisine / les courses ].
b. Elle se coiffe. Elle utilise un [ peigne / rasoir ].
c. Elle se lave les mains, elle utilise du [ dentifrice / savon ].
d. Le samedi et le dimanche, c'est [ le week-end / la semaine ].
e. À 4 heures, c'est [ la nuit / le soir ].

**7. Complétez.** ... / 5

[ se lève - se lave - se couche - travaille - dort ]
a. Le soir, elle .............................. à 22 heures.
b. La nuit, il .............................. très bien.
c. Le matin, elle .............................. à 8 heures.
d. Elle ne .............................. pas le week-end.
e. Il est sale, il ..............................

TOTAL
.... / 40

# L'ÉDUCATION ET LE TRAVAIL

**1. Séparez les mots.** ... / 5

regarderallemandlecturehistoireprimaire

**2. Classez les mots.** ... / 5

[ leçon - ouvriers - maîtresse - classe - entreprise ]

| L'éducation | Le travail |
|---|---|
| .................... | .................... |
| .................... | .................... |
| .................... | .................... |

**3. Barrez l'intrus.** ... / 5

a. agriculture - italien - industrie
b. maître - professeur - étudiant
c. exercices - élève - devoirs
d. médecin - secrétaire - grève
e. salle de cours - bureau - cabinet

**4. Associez.** ... / 5

a. des matières ○ ○ 1. un crayon, une feuille, un cartable
b. des métiers ○ ○ 2. les arts plastiques, les SVT, la chimie
c. des secteurs ○ ○ 3. lire, écouter, écrire
d. du matériel scolaire ○ ○ 4. l'industrie, l'agriculture, l'économie
e. des actions d'élèves ○ ○ 5. un avocat, un infirmier, un maçon

**5. Complétez.** ... / 5

[ espagnol - travaille - feuille - journaliste - école maternelle ]

a. .................... est un métier.
b. Il .................... dans une grande société.
c. Il aime étudier l'.................... .
d. Il a 5 ans, il est à l'.................... .
e. Il écrit sur une .................... .

**6. Soulignez le bon mot.** ... / 5

a. Il a 13 ans, il est au [ collège / lycée ].
b. En cours d'arts plastiques, il utilise [ un dictionnaire / des crayons de couleurs ].
c. Dans l'entreprise, il y a 50 [ employés / commerçants ].
d. Il n'aime pas les sciences, mais il aime [ la chimie / l'éducation physique et sportive ].
e. Il étudie une langue : [ le chinois / la géographie ].

**7. Remettez dans l'ordre.** ... / 5

a. Il va au collège.
b. Il va à l'université.
c. Il travaille dans un cabinet d'avocat.
d. Il va au lycée.
e. Il va à l'école primaire.

| 1. | 2. | 3. | 4. | 5. |
|---|---|---|---|---|
| ........ | ........ | ........ | ........ | ........ |

**8. Cochez.** ... / 5

a. En cours de langue, les étudiants...
☐ ...répètent. ☐ ...comptent.
b. Un ouvrier travaille...
☐ ...dans une usine. ☐ ...dans un magasin.
c. Les élèves...
☐ ...mettent des notes. ☐ ...apprennent la leçon.
d. À l'université, il y a beaucoup de...
☐ ...sociétés. ☐ ...bâtiments.
e. Pour écrire, on utilise...
☐ ...un stylo. ☐ ...des crayons de couleur.

TOTAL
.... / 40

# LE LOGEMENT

**1. Entourez 7 mots (une personne, trois parties de la maison, deux mots de l'équipement, un appareil hifi).** ... / 7

| L | F | E | N | E | T | R | E | U | I | O | O |
|---|---|---|---|---|---|---|---|---|---|---|---|
| U | P | A | F | E | P | O | I | U | Y | T | R |
| T | O | I | L | L | E | T | T | E | S | R | Y |
| E | R | Q | S | D | G | H | J | K | A | L | W |
| Z | T | Z | Y | J | K | L | V | N | L | B | J |
| V | E | H | R | A | D | I | O | S | O | D | K |
| J | D | A | S | D | S | S | I | E | N | G | K |
| F | G | G | D | L | K | F | S | Z | Z | D | G |
| S | T | Z | E | R | C | U | I | S | I | N | E |
| V | U | A | E | T | Y | U | N | L | P | M | U |

**2. Classez.** ... / 6

[ une chambre d'enfant - une armoire - une salle de bains - un salon - une étagère - un placard ]

| Les pièces | Les meubles |
|---|---|
| ........................ | ........................ |
| ........................ | ........................ |
| ........................ | ........................ |

**3. Barrez l'intrus.** ... / 6

a. maison - appartement - voisin
b. pièce - louer - locataire
c. escaliers - radiateur - ascenseur
d. bureau - lavabo - douche
e. armoire - commode - ordinateur
f. canapé - table basse - baignoire

**4. Associez.** ... / 5

a. Dans un salon il y a... ○
b. Dans une cuisine il y a... ○
c. Dans une salle de bains il y a... ○
d. Dans une chambre il y a... ○
e. Dans une salle à manger il y a... ○

○ 1. ...un frigo.
○ 2. ...un lit.
○ 3. ...une télévision.
○ 4. ...une table et des chaises.
○ 5. ...une baignoire.

**5. Complétez.** ... / 5

[ ordinateur - lavabo - table basse - jardin - locataire ]

a. Je loue un appartement au centre-ville. Je suis ........................ .
b. Il y a un ........................ dans la salle de bains.
c. Il habite dans une grande maison, avec un beau ........................ .
d. J'aime beaucoup la ........................ dans ton salon.
e. Je peux utiliser ton ........................ pour aller sur Internet ?

**6. Cochez.** ... / 6

a. Le réfrigérateur est dans la cuisine.
☐ Vrai. ☐ Faux.
b. Il y a une bibliothèque dans la salle de bains.
☐ Vrai. ☐ Faux.
c. Je loue un appartement. = Je suis en location.
☐ Vrai. ☐ Faux.
d. Il y a un balcon dans tous les appartements.
☐ Vrai. ☐ Faux.
e. Avec une table, il y a des chaises.
☐ Vrai. ☐ Faux.
f. Dans la salle de bains, il est possible d'avoir des toilettes.
☐ Vrai. ☐ Faux.

**7. Soulignez les bons mots.** ... / 5

a. En hiver, on utilise [ l'ordinateur / les radiateurs ].
b. Je suis fatigué, je prends [ les escaliers / l'ascenseur ].
c. Pour cuisiner, j'utilise [ la cuisinière / le frigo ].
d. Je travaille sur [ un bureau / une étagère ].
e. J'aime regarder le jardin par la [ fenêtre / porte ].

TOTAL .... / 40

# LES TRANSPORTS

**1. Séparez les mots.** ... / 6
départaccueilrouteruefeudanger

**2. Classez.** ... / 6
[ l'autobus - le scooter - le vélo - le tramway - la moto - le métro ]

| Transports privés | Transports publics |
|---|---|
| ........................ | ........................ |
| ........................ | ........................ |
| ........................ | ........................ |

**3. Barrez l'intrus.** ... / 6
a. aéroport - parking - avion
b. ticket - voiture - permis de conduire
c. rue - bateau - route
d. gare - pont - accueil
e. feu - circulation - ticket
f. départ - arrivée - information

**4. Classez.** ... / 6
[ une voie - un garagiste - une autoroute - un billet - un quai - une station-service ]

| La voiture | Le train |
|---|---|
| ........................ | ........................ |
| ........................ | ........................ |
| ........................ | ........................ |

**5. Complétez.** ... / 5
[ en retard - aller-retour - taxi - route - garage ]
a. Je n'ai pas mon permis de conduire, j'utilise le ........................ .
b. À la gare, je peux acheter un billet ........................ .
c. Je n'ai pas de voiture, elle est au ........................ .
d. Il est 12 h 30 ! Le train est ........................ !
e. J'aime bien conduire sur cette ........................ .

**6. Soulignez les bons mots.** ... / 5
a. On doit traverser [ le pont / la circulation ].
b. Sur l'autoroute, il y a des [ stations / stations-service ].
c. Le garagiste travaille dans un [ parking / garage ].
d. La bateau est au [ pont / port ].
e. Le train arrive [ voie 3 / place 3 ].

**7. Cochez.** ... / 6
a. Sur l'autoroute il y a un carrefour.
☐ Vrai. ☐ Faux.
b. À la gare, pour avoir des informations, je vais à l'accueil.
☐ Vrai. ☐ Faux.
c. Au feu rouge, je ne m'arrête pas.
☐ Vrai. ☐ Faux.
d. On va à la porte d'embarquement pour attendre l'avion.
☐ Vrai. ☐ Faux.
e. Pour prendre le métro, j'achète un billet.
☐ Vrai. ☐ Faux.
f. Prendre à droite / gauche. = Tourner à droite / gauche.
☐ Vrai. ☐ Faux.

TOTAL
.... / 40

# LES VOYAGES

**1. Associez.** ... / 5

a. Un lit pour deux personnes
b. Une pièce d'identité
c. Il pleut.
d. Il y a du soleil.
e. Des bagages

1. Il fait mauvais.
2. Il fait beau.
3. Un lit double
4. Un passeport
5. Une valise

**2. Complétez.** ... / 5

[ petit déjeuner - réserver - valable - visite - campagne ]

a. On peut ................................ une chambre d'hôtel par téléphone.
b. Le passeport est ................................ du 12/03/2016 au 11/03/2026.
c. On ................................ différents pays.
d. On passe des vacances à la ................................ .
e. On peut prendre le ................................ à l'hôtel.

**3. Cochez.** ... / 5

a. Un lit pour une personne est un lit simple.
☐ Vrai. ☐ Faux.
b. Quand il n'y a plus de place, l'hôtel est complet.
☐ Vrai. ☐ Faux.
c. La douane est la police des frontières.
☐ Vrai. ☐ Faux.
d. Une frontière se trouve entre deux pays.
☐ Vrai. ☐ Faux.
e. Le visa est une pièce d'identité.
☐ Vrai. ☐ Faux.

**4. Soulignez les bons mots.** ... / 5

a. Quand on a beaucoup de valises, on préfère prendre [ les escaliers / l'ascenseur ].
b. À la réception, on prend [ la clé / le petit déjeuner ].
c. Quand il y a de la neige, il fait [ chaud / froid ].
d. Quand il y a de la pluie, [ il pleut / il neige ].
e. On monte une tente dans [ un gîte / un camping ].

**5. Cochez.** ... / 5

a. Il y a de la pluie et du vent.
☐ Il fait bon. ☐ Il fait mauvais.
b. Un gîte se trouve…
☐ …à la campagne. ☐ …en ville.
c. L'été, à la mer…
☐ …il fait froid. ☐ …il fait chaud.
d. Il y a une réception dans…
☐ …un gîte. ☐ …un hôtel.
e. On campe dans…
☐ …un hôtel. ☐ …un camping.

**6. Complétez.** ... / 5

a. La d................................ se trouve à la frontière.
b. Un p................................ est une pièce d'identité.
c. La France est un p................................ .
d. Il y a une p................................ dans un camping.
e. On fait du t................................ pendant les vacances.

**7. Classez.** ... / 5

[ Il réserve une chambre. - Il monte sa tente. - Il prend la clé à la réception. - Il prend un lit double. - Il campe. ]

| Camping | Hôtel |
|---|---|
| ................ | ................ |
| ................ | ................ |
| ................ | ................ |

**8. Barrez l'intrus.** ... / 5

a. montagne - mer - campagne - chambre
b. vent - nuages - gîte - soleil
c. carte d'identité - tente - piscine - camping
d. voyager - faire du tourisme - visiter - petit déjeuner
e. neige - réception - escalier - ascenseur

TOTAL .... /40

# L'ALIMENTATION ET LA RESTAURATION

**1. Classez.** ... / 10

[ un concombre - du sirop - du maïs - du poulet - de la crème fraîche - du thé - un melon - du blé - de l'agneau - un yaourt ]

| | |
|---|---|
| Les boissons | ..................., ................... |
| Les produits laitiers | ..................., ................... |
| Les céréales | ..................., ................... |
| Les viandes | ..................., ................... |
| Les fruits et légumes | ..................., ................... |

**2. Associez.** ... / 5

a. des repas ○
b. un menu ○
c. 2 kg ○
d. mettre la table ○
e. du fromage ○

○ 1. deux kilos
○ 2. assiette, couteau, fourchette, cuillère
○ 3. une entrée, un plat et un dessert
○ 4. du bleu, du chèvre, du camembert
○ 5. le petit déjeuner, le déjeuner, le dîner

**3. Soulignez le bon mot.** ... / 5

a. On boit du vin dans [ un verre / une tasse ].
b. Le saumon est [ une viande / un poisson ].
c. Les haricots verts et les pommes de terre sont des [ légumes / fruits ].
d. Je veux payer, je demande [ la carte / l'addition ].
e. J'ai soif, je veux [ manger / boire ].

**4. Complétez.** ... / 5

a. La ...... est un fruit.
b. Le ...... est un fromage.
c. Les ...... sont d'origine animale.
d. Le ...... est un repas.
e. On mange du ......... en dessert.

d↓ D
a ➤ P
e↓ G
b ➤ G
c ➤ O

**5. Complétez.** ... / 5

[ glace - grammes - croissants - réserver une table - déjeune ]

a. 500 .............................. de cerises, s'il vous plaît.
b. J'achète des .............................. pour le petit déjeuner ?
c. Je prends une .............................. en dessert.
d. Ce midi, je .............................. au restaurant.
e. Bonjour, je voudrais .............................. pour ce soir.

**6. Cochez.** ... / 5

a. On mange un yaourt avec une petite cuillère.
☐ Vrai. ☐ Faux.
b. Le plat du jour change tous les jours.
☐ Vrai. ☐ Faux.
c. À 16 heures, on prend un goûter.
☐ Vrai. ☐ Faux.
d. Le beurre est un produit laitier.
☐ Vrai. ☐ Faux.
e. Le pamplemousse et la clémentine sont des légumes.
☐ Vrai. ☐ Faux.

**7. Associez.** ... / 5

a. Tu mets des épices sur la viande ?
b. Je fais des pâtes?
c. J'achète des oranges ?
d. Tu aimes cuisiner ?
e. Tu veux manger tout de suite ?

1. Oui, pour faire un jus de fruits.
2. Oui, j'ai très faim !
3. Oui, je prépare mes repas tous les jours.
4. Non, je préfère le riz.
5. Oui, je mets du poivre.

| a. | b. | c. | d. | e. |
|---|---|---|---|---|
| ........ | ........ | ........ | ........ | ........ |

TOTAL .... / 40

# LES COMMERCES

**1. Remettez dans l'ordre les noms des commerces.** ... / 5

a. A T E R H C E I C U R
→ ..................

b. U L B O N G R A E I E
→ ..................

c. C E U O R E I H B
→ ..................

d. R S N S O E P I O N E I
→ ..................

e. C E E R P É I I
→ ..................

**2. Cochez.** ... / 5

a. On peut acheter des légumes au marché.
☐ Vrai. ☐ Faux.

b. Quand il pleut, on prend un parapluie.
☐ Vrai. ☐ Faux.

c. Le chapeau est un sous-vêtement.
☐ Vrai. ☐ Faux.

d. Un vendeur travaille dans un magasin.
☐ Vrai. ☐ Faux.

e. Le manteau est un vêtement d'été.
☐ Vrai. ☐ Faux.

**3. Complétez.** ... / 5

a. Elle travaille dans une boucherie. C'est une
.................. .

b. Il travaille dans une poissonnerie. C'est un
.................. .

c. Elle travaille dans une épicerie. C'est une
.................. .

d. Elle travaille dans un magasin. C'est une
.................. .

e. Il travaille dans une charcuterie. C'est un
.................. .

**4. Soulignez 2 réponses dans chaque phrase.** ... / 8

a. Les accessoires : [ un T-shirt - des lunettes - une ceinture - un collant ].

b. Les vêtements : [ une veste - un pull - un sac à main - des chaussures ].

c. Les sous-vêtements : [ un soutien-gorge - des gants - un manteau - un slip ].

d. Les personnes : [ un client - un prix - un vendeur - une chemise ].

**5. Associez.** ... / 7

| | |
|---|---|
| a. Il / Elle achète des choses. ○ | ○ 1. une boutique |
| b. C'est un magasin de vêtements. ○ | ○ 2. un T-shirt |
| c. C'est un vêtement d'été. ○ | ○ 3. un client / une cliente |
| d. C'est un accessoire. ○ | ○ 4. un soutien-gorge |
| e. Il / Elle travaille dans une boulangerie. ○ | ○ 5. un jean |
| f. C'est un sous-vêtement pour femme. ○ | ○ 6. une montre |
| g. C'est un pantalon. ○ | ○ 7. un boulanger / une boulangère |

**6. Complétez.** ... / 5

[ boutique - paie par carte - acheter - essaie - coûte ]

a. Je voudrais .................. un pantalon.

b. Je vais dans une .................. .

c. J'.................. un jean.

d. Le jean ne .................. pas très cher.

e. Je .................. et je rentre à la maison.

**7. Complétez.** ... / 5

(grille de mots croisés : a, b, c, d horizontaux ; e vertical)

a. On peut payer par carte, par chèque ou en ...... .

b. Le client demande le ...... du T-shirt.

c. Il y a des vêtements pour homme, pour femme et pour ...... .

d. Le T-shirt coûte 90 euros, c'est ...... .

e. On fait les courses au ...... .

TOTAL .... / 40

# LA SANTÉ

**1. Séparez les mots.** ... / 5

siroprhumechirurgieradiologieclinique

**2. Barrez l'intrus.** ... / 5

a. varicelle – grippe – maladie – radio
b. urgences – radiologie – infirmier – chirurgie
c. chirurgienne – sparadraps – radiologue – pharmacien
d. aspirine – cabinet – clinique – hôpital
e. médicaments – sirop – examen – antibiotiques

**3. Associez.** ... / 5

a. Il travaille dans un cabinet. ○ — ○ 1. Il est radiologue.
b. Il donne des médicaments. ○ — ○ 2. Il est malade.
c. Il regarde les radios. ○ — ○ 3. Il est médecin.
d. Il va chez le médecin. ○ — ○ 4. Il est pharmacien.
e. Il a mal aux dents. ○ — ○ 5. Il va chez le dentiste.

**4. Complétez.** ... / 5

[ laboratoire d'analyses – lits – mal au ventre – mal à la tête – infirmière ]

a. Je vais dans un .................... pour faire des examens.
b. L'.................... donne des médicaments aux malades.
c. Il y a trois .................... dans la chambre d'hôpital.
d. Tu manges trop de chocolat ! Tu vas avoir .................... !
e. Elle prend de l'aspirine parce qu'elle a .....................

**5. Cochez.** ... / 5

a. Elle a un rhume, elle doit aller à l'hôpital.
☐ Vrai. ☐ Faux.
b. Il a mal à l'estomac, il va chez le dentiste.
☐ Vrai. ☐ Faux.
c. Elle a mal à la gorge, elle va en chirurgie.
☐ Vrai. ☐ Faux.
d. On donne l'ordonnance au pharmacien.
☐ Vrai. ☐ Faux.
e. L'aspirine est un médicament.
☐ Vrai. ☐ Faux.

**6. Classez.** ... / 6

[ travaille dans un hôpital. - a de la fièvre. - avale des médicaments. - prend des antibiotiques. - fait une ordonnance. - achète du sirop. ]

| Un médecin | Une personne malade |
|---|---|
| .................... | .................... |
| .................... | .................... |
| .................... | .................... |
| .................... | .................... |
| .................... | .................... |
| .................... | .................... |

**7. Soulignez.** ... / 5

a. Il a eu un accident, il va [ aux urgences / à la pharmacie ].
b. Le bébé est né [ en radiologie / à la maternité ].
c. L'aspirine et les antibiotiques sont des [ médicaments / médecins ].
d. Une pharmacienne travaille dans une [ clinique / pharmacie ].
e. Un chirurgien fait des [ opérations / radios ].

**8. Remettez dans l'ordre.** ... / 4

a. Marie part en chirurgie.
b. Marie arrive aux urgences.
c. Le chirurgien fait l'opération.
d. Marie a un accident.

| 1. | 2. | 3. | 4. |
|---|---|---|---|
| ........ | ........ | ........ | ........ |

TOTAL
.... / 40

# LA VILLE ET LA CAMPAGNE

**1. Classez.** ... / 8

[ une poule - la banlieue - la forêt - un champ - une vache - un parc - un zoo - un village ]

| La ville | La campagne |
|---|---|
| ........ | ........ |
| ........ | ........ |
| ........ | ........ |
| ........ | ........ |
| ........ | ........ |

**2. Barrez l'intrus.** ... / 8

a. rivière - fleuve - préfecture
b. église - jardin - synagogue
c. village - temple - mosquée
d. numéros d'urgence - pompiers - cochon
e. bouquet - place - arbre
f. lapin - oiseau - rue
g. chat - chemin - chien
h. forêt - champ - quartier

**3. Associez.** ... / 6

| | |
|---|---|
| a. les secours ○ | ○ 1. une mosquée |
| b. la campagne ○ | ○ 2. une rose |
| c. la banque ○ | ○ 3. les pompiers |
| d. un lieu religieux ○ | ○ 4. les éléphants |
| e. une fleur ○ | ○ 5. un chemin |
| f. le zoo ○ | ○ 6. de l'argent |

**4. Complétez.** ... / 6

[ lions - parc - marché - plantes - commissariat de police - fontaine ]

a. J'aime me promener dans le ........................................
b. Il y a des ........................................ magnifiques dans ce jardin !
c. Si j'ai un problème, je vais au ........................................
d. Au zoo, il y a des ........................................
e. Le dimanche, je vais au ........................................ pour acheter des fruits et des légumes.
f. Il y a une ........................................ au centre de la place.

**5. Soulignez le bon mot.** ... / 6

a. À la campagne, il y a des [ vaches / éléphants ].
b. Quand il y a un accident, j'appelle [ la préfecture / les secours ].
c. J'aime me promener dans la [ forêt / banque ].
d. Dans son jardin, il y a beaucoup de [ fleurs / bouquets ].
e. Dans la forêt, il y a des [ jardins / arbres ].
f. Je n'habite pas dans le centre-ville, je vis dans la [ rue / banlieue ].

**6. Cochez.** ... / 6

a. Au zoo, il y a des chiens.
☐ Vrai. ☐ Faux.
b. Une synagogue est un lieu religieux.
☐ Vrai. ☐ Faux.
c. Je peux retirer de l'argent à la banque.
☐ Vrai. ☐ Faux.
d. À la campagne, il y a des animaux.
☐ Vrai. ☐ Faux.
e. En ville, il y a des chemins.
☐ Vrai. ☐ Faux.
f. Le centre-ville est en banlieue.
☐ Vrai. ☐ Faux.

TOTAL
.... / 40

# LA COMMUNICATION ET L'ADMINISTRATION

**1. Associez.** ... / 5

| | |
|---|---|
| a. ORDI | 1. BUNAL |
| b. CO | 2. CATION |
| c. TRI | 3. TICE |
| d. JUS | 4. NATEUR |
| e. APPLI | 5. LIS |

**2. Barrez l'intrus.** ... / 5

a. poster - liker - remplir un formulaire
b. smartphone - tablette - timbre
c. tribunal - numérique - justice
d. enveloppe - message - sms
e. lettre - courriel - courrier

**3. Classez.** ... / 7

[ refuser une demande - recevoir un courriel - accepter une demande - téléphoner - remplir un formulaire - envoyer un sms - s'inscrire ]

| Le téléphone et le numérique | L'administration |
|---|---|
| ........................ | ........................ |
| ........................ | ........................ |
| ........................ | ........................ |
| ........................ | ........................ |
| ........................ | ........................ |

**4. Associez.** ... / 8

| | |
|---|---|
| a. un timbre | 1. la poste |
| b. un smartphone | 2. l'APL |
| c. un colis | 3. une enveloppe |
| d. la CAF | 4. le mariage |
| e. la préfecture | 5. une application |
| f. le tribunal | 6. s'inscrire |
| g. la mairie | 7. un titre de séjour |
| h. le Pôle emploi | 8. divorcer |

**5. Complétez.** ... / 5

[ téléphone portable - préfecture - carte postale - répond - l'inscription ]

a. Pendant les vacances, j'envoie une ........................ à mes parents.
b. Il ........................ toujours à ses méls.
c. J'ai 10 ans, je n'ai pas de ........................ .
d. Je vais à la ........................ pour ma carte de séjour.
e. Pour ........................ à Pôle emploi, il faut remplir un formulaire.

**6. Soulignez le bon mot.** ... / 5

a. Sur l'enveloppe, j'écris [ l'adresse / le timbre ].
b. Je prends mon [ ordinateur portable / téléphone portable ] pour travailler dans le train.
c. Je mets mon courrier dans une [ tablette / boîte aux lettres ].
d. Je vais demander [ le permis de séjour / l'APL ] à la préfecture.
e. Mon [ numéro de téléphone / courriel ] c'est le 07 45 76 87 98.

**7. Cochez.** ... / 5

a. La CAF est un lieu administratif.
☐ Vrai. ☐ Faux.
b. Je peux envoyer des sms avec mon téléphone portable.
☐ Vrai. ☐ Faux.
c. Je mets mon colis dans une boîte aux lettres.
☐ Vrai. ☐ Faux.
d. Il n'y a pas d'application sur une tablette.
☐ Vrai. ☐ Faux.
e. On peut recevoir et envoyer des méls.
☐ Vrai. ☐ Faux.

TOTAL
.... /40

# Corrigés

## 1. Les présentations et les salutations

Pages 13, 14, 15, 16

RÉPONDEZ

**1. a.** Vrai. **b.** …un nom de famille. **c.** Au revoir.
**2. a.** 2 **b.** 1

EXERCICES

*Transcription*
a. *AU REVOIR*
b. *BONJOUR*
c. *SALUT*
d. *MADAME*
e. *MONSIEUR*
f. *BONSOIR*

**3**
1. a
2. c
3. e
4. d
5. b

**4**
a. t'appelles
b. nom
c. épeler
d. s'il vous plaît
e. mademoiselle
f. prénom

## 2. La date et le lieu de naissance

Pages 17, 18, 19, 20

RÉPONDEZ

**1.** …d'Alice.
**2.** Vrai.
**3.** Vrai.
**4.** …juillet.

EXERCICES

**1**

| M | A | I | B | U | E | B | R | E | S | D |
|---|---|---|---|---|---|---|---|---|---|---|
| O | V | N | O | V | E | M | B | R | E | E |
| V | R | T | A | Y | P | A | E | Q | P | C |
| I | I | M | J | U | I | L | L | E | T | E |
| N | L | C | A | O | U | T | I | A | E | M |
| J | U | I | N | E | N | L | C | M | M | B |
| P | F | E | V | R | I | E | R | N | B | R |
| H | S | T | I | O | C | T | O | B | R | E |
| I | R | X | E | T | G | T | E | W | E | D |
| F | M | A | R | S | H | F | S | L | J | K |

**2** 16

*Transcription*
*5 – 16 – 13 – 61 – 2022 – 89 – 21 – 2030*

**3**

| L'hiver | Le printemps |
|---|---|
| - le 30 janvier<br>- le 21 décembre<br>- le 22 février | - le 4 avril<br>- le 20 mars<br>- le 2 mai |

| L'été | L'automne |
|---|---|
| - le 15 août<br>- le 21 juin<br>- le 14 juillet | - Le 21 septembre<br>- le 28 novembre<br>- le 3 octobre |

**4**
a. En août.
b. En été.
c. En 1984.
d. Le 4 août.
e. Nice.

## 3. La nationalité et l'adresse

Pages 21, 22, 23, 24

RÉPONDEZ

**1. a.** Vrai. **b.** Faux.
**2. a.**1 **b.** 2

EXERCICES

rue/avenue/boulevard/vivre/place/habiter/étage/numéro

a. canadien
b. libanaise
c. saoudienne
d. turc
e. japonais
f. vietnamienne

*Transcription*
a. *Paul habite en France.*
b. *John est américain.*
c. *Ana vit en Espagne.*
d. *Kebe est nigériane.*
e. *Xiaotong habite en Chine.*
f. *Nasser est Algérien.*
de gauche à droite : e, d, a, c, f, b

a. 9, boulevard Lesdiguières
33 200 BORDEAUX
FRANCE
b. Non, sur un boulevard.
c. Au numéro 9.
d. À Bordeaux.
e. 33 200
f. En France.

## 4. Le corps humain

Pages 25, 26, 27, 28

RÉPONDEZ

**1.** Vrai.
**2.** Vrai.
**3.** Faux.

EXERCICES

| La tête | Le corps |
|---|---|
| les yeux<br>la bouche<br>l'oreille<br>les cheveux | le bras<br>la jambe<br>le doigt<br>la main |

**2** 27

*Transcription*
a. *C'est une belle **femme**.*
b. *J'ai un **garçon** de 10 ans.*
c. *Il y a 5 **personnes** dans ma famille.*
d. *C'est un **homme** très gentil.*
e. *Comment s'appelle ta **fille** ?*
f. ***Sexe** féminin ou masculin ?*

a. les cheveux
b. les dents
c. la bouche
d. les yeux / un œil
e. le nez
f. une oreille

## 5. Les caractéristiques physiques et morales

Pages 29, 30, 31, 32

RÉPONDEZ

**1.** De l'actrice du film.
**2.** Faux.
**3.** positif.

EXERCICES

a. Faux. Il est châtain.
b. Faux. Il est gros.
c. Faux. Il est roux.
d. Vrai.

| Positif | Négatif |
|---|---|
| intelligent<br>sympathique<br>gentil<br>courageux | méchant<br>bête |

**3**

a. 2
b. 6
c. 1
d. 3
e. 4
f. 5

**4** 32

*Transcription*
a. *Elle a les* ***cheveux noirs****.*
b. *Elle est très* ***sympathique****.*
c. *Elle a les* ***cheveux gris****.*
d. *Elle est* ***gentille*** *mais trop* ***bavarde****.*
e. *Elle est* ***bête****.*

## 6. Les sens et les émotions

Pages 33, 34, 35, 36

RÉPONDEZ

**1. a.** À la boulangerie. **b.** positif. **c.** ...salé.
**2. a.** 2 **b.** 1

EXERCICES

**1** 

*Transcription*
a. *bruit*
b. *entendre*
c. *peau*
d. *sucré*
e. *mauvais*
f. *parfum*
g. *triste*
h. *malheureux*

a. voir, regarder
b. entendre, écouter
c. peau, toucher
d. parfum, odeur
e. salé, goûter

a. bon
b. sucré
c. goûter
d. amoureuse
e. heureux
f. aime
g. déteste
h. écoute

**4**

1. d
2. a
3. f
4. e
5. c
6. b

# 7. La famille

Pages 37, 38, 39, 40

RÉPONDEZ

**1.** Vrai.
**2.** …la mère de Lili.
**3.** Faux.

EXERCICES

*Transcription*

a. *Il est* ***veuf.***
b. *Ma* ***petite-fille*** *s'appelle Martha.*
c. *Je n'ai pas de* ***frère*** *mais j'ai une* ***sœur.***
d. *Mon* ***mari*** *est professeur.*
e. *Ma* ***grand-mère*** *est très gentille.*
f. *Il a deux* ***enfants****, un* ***fils*** *et une fille.*
g. *Il va chez ses* ***beaux-parents.***
h. *Mon* ***beau-père*** *est musicien.*

**2**

a. 4
b. 6
c. 1
d. 2
e. 3
f. 5

**3**

a. Faux. C'est la mère de mon mari.
b. Faux. C'est le fils de mon fils / de ma fille.
c. Vrai.
d. Vrai.
e. Vrai.
f. Faux. C'est le fils de ma mère et de mon père.

**4**

a. Alexandra
b. Jean
c. Raphaël
d. Jeannette
e. Lena
f. Anna
g. Daniel

# 8. Les activités sportives

Pages 41, 42, 43, 44

RÉPONDEZ

**1.** Vrai.
**2.** Faux.
**3.** Faux.

EXERCICES

*Transcription*

a. *Tu as regardé le match à la télé hier soir ?*
b. *France – Portugal, demain, au Stade de France !*
c. *Je fais de la course à pied.*
d. *C'est un terrain de rugby.*
e. *Elle fait du badminton.*
f. *Il aime le judo.*
g. *Oh là là, on perd !*

| stade | course | match | badminton | perd | terrain | judo |
|---|---|---|---|---|---|---|
| b | c | a | e | g | d | f |

**2**

a. 2
b. 3
c. 5
d. 8
e. 1
f. 4
g. 6
h. 7

**3**

a. Il fait du vélo.
b. Il fait de la natation.
c. Il se promène.
d. Il court.
e. Il fait du rugby.
f. positif.

## 9. Les activités culturelles

Pages 45, 46, 47, 48

RÉPONDEZ

**1.** Vrai.
**2.** Vrai.
**3.** Vrai.

EXERCICES

1 

*Transcription*

a. *Extrait de flûte*
b. *Extrait de piano*
c. *Extrait de batterie*
d. *Extrait de violon*
e. *Extrait de guitare*
f. *Extrait de trompette*

1. b
2. f
3. c
4. e
5. d
6. a

2

| musique | théâtre et cinéma |
| --- | --- |
| un musicien<br>chanter<br>un concert<br>danser | une actrice<br>une pièce<br>un film<br>un comédien |

3

1. c
2. d
3. a
4. f
5. b
6. e

4

a. Faux.
b. Vrai.
c. Vrai.
d. Vrai.
e. Faux.
f. Vrai.

## 10. Les jours de la semaine et les moments de la journée

Pages 49, 50, 51, 52

RÉPONDEZ

**1.** Faux.
**2.** Vrai.
**3.** ...le soir.

EXERCICES

| Le matin | Le midi | L'après-midi | Le soir | La nuit |
| --- | --- | --- | --- | --- |
| 10 h 15 | 12 h 00 | 16 h 03 | 23 h 00 | 03 h 00 |

*Transcription*

a. *On a rendez-vous **lundi** matin à la bibliothèque.*
b. *J'aime regarder la télévision le **soir** après le travail.*
c. *Je fais du sport le **mercredi** et le **vendredi**.*
d. *Le **week-end**, je sors avec mes amis.*
e. *À **midi**, je mange à la cafétéria.*
f. *Le mercredi, je travaille le **matin**, je ne travaille pas l'**après-midi**.*
g. *J'aime regarder le ciel la **nuit**.*
h. *La **semaine**, je ne sors pas, je me couche tôt.*

a. Il est onze heures moins le quart. / Il est dix heures quarante-cinq.
b. Il est dix heures et quart. / Il est dix heures quinze.
c. Il est huit heures moins vingt. / Il est sept heures quarante.
d. Il est dix heures et demie. / Il est dix heures trente.
e. Il est huit heures moins cinq. / Il est sept heures cinquante-cinq.
f. Il est deux heures moins vingt-cinq. / Il est une heure trente-cinq.

## 11. Les activités quotidiennes

Pages 53, 54, 55, 56

RÉPONDEZ

**1.** …le soir.

**2. a.** 2 **b.** 1

**3.** Faux.

EXERCICES

*Transcription*

*le shampoing*

*se brosser les dents*

*la brosse à dents*

*travailler*

*se coucher*

*se raser*

*le gel douche*

*le peigne*

a. 5
b. 1
c. 4
d. 2
e. 3
f. 6

**3**

a. Elle se couche.
b. Il prend une douche.
c. …on se repose.
d. …du savon.
e. …propre.
f. …les courses.

**4**

a. Il / Elle fait la cuisine.
b. Il / Elle dort.
c. Il / Elle fait les courses.
d. Il / Elle fait le ménage.
e. Il / Elle va à l'école.
f. Il / Elle se lève.

## 12. L'éducation

Pages 57, 58, 59, 60

RÉPONDEZ

**1.** Vrai.

**2.** …une maîtresse.

**3.** Vrai.

**4.** Vrai.

EXERCICES

**1**

| A | C | N | Z | J | H | D | A | E | I |
|---|---|---|---|---|---|---|---|---|---|
| P | R | O | F | E | S | S | E | U | R |
| P | E | T | L | X | P | Q | S | Y | P |
| R | P | E | C | O | M | P | T | E | R |
| E | E | M | L | N | O | U | I | L | I |
| N | T | G | A | K | C | D | P | R | M |
| D | E | B | S | U | V | T | O | T | A |
| R | R | D | S | I | B | K | N | U | I |
| E | I | C | E | E | A | E | L | S | R |
| U | O | T | M | E | L | Y | C | E | E |

**2**

a. 5
b. 2
c. 1
d. 4
e. 3

**3**

a. Vrai.
b. Faux. Il y a des élèves.
c. Vrai.
d. Faux. On va au collège de 11 à 14 ans et au lycée de 15 à 17 ans.
e. Vrai.
f. Faux. Les professeurs, maîtres et maîtresses mettent des notes.

**4** 73

*Transcription*

a. *Dans la* ***classe****, il y a 22* ***élèves****.*
b. *Il faut* ***apprendre*** *sa* ***leçon****.*
c. *La* ***maîtresse*** *met des* ***notes****.*
d. *Les étudiants sont dans une* ***salle de cours****.*
e. *Il n'****écoute*** *pas donc il ne* ***comprend*** *pas.*
f. *Ils* ***étudient*** *beaucoup.*
g. *Il a 12 ans, il va au* ***collège****.*
h. *Après le* ***lycée****, il va à l'université.*

## 13. Le matériel scolaire et les matières

Pages 61, 62, 63, 64

RÉPONDEZ

**1.** Vrai.
**2. a.** 2 **b.** 3 **c.** 1

EXERCICES

❶

a. 4 → CARTABLE
b. 3 → CRAYON
c. 1 → GÉOGRAPHIE
d. 7 → HISTOIRE
e. 2 → ESPAGNOL
f. 6 → PAPIER
g. 5 → ITALIEN

❷

a. chinois
b. dictionnaire
c. stylo
d. arts plastiques
e. éducation physique et sportive
f. physique, chimie

*Transcription*
a. *Il apprend l'arabe.*
b. *Les élèves font de l'écriture.*
c. *Prenez une feuille.*
d. *Il a cours de français le lundi à 8 heures.*
e. *La lecture à l'école primaire, c'est très important.*
f. *Il prépare son cartable.*

a. arabe
b. écriture
c. feuille
d. français
e. lecture
f. cartable

❹

a. …crayons de couleur.
b. …éducation physique.
c. …les sciences.
d. …une matière.
e. …science.
f. …français.

## 14. Le travail

Pages 65, 66, 67, 68

RÉPONDEZ

**1.** Faux.
**2.** Vrai.
**3.** Vrai.
**4.** …dans un cabinet.

EXERCICES

❶

a. G R È **V** E
b. É C O **N O** M I E
c. **O U** V R I E R
d. B U R **E A U**
e. U **S** I N E
f. E M P L **O Y** É

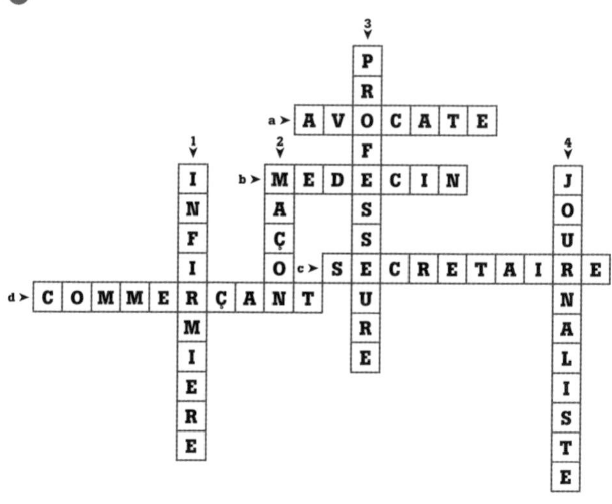

*Transcription*
a. *Elle est infirmière. C'est un beau* ***métier****.*
b. *J'aime beaucoup ce* ***magasin*** *de chaussures.*
c. *Il* ***travaille*** *à l'université.*
d. *C'est une grande* ***entreprise****.*
e. *Le* ***cabinet*** *est ouvert de 8 heures à 19 heures.*
f. *Quelle est ta* ***profession*** *?*

a. …un magasin.
b. …un cabinet.
c. …l'industrie.
d. …dans une usine.
e. Ils ne travaillent pas.
f. …un bureau.

## 15. La maison et l'appartement

Pages 69, 70, 71, 72

RÉPONDEZ

**1.** Vrai.
**2.** …une maison.
**3.** Dans la salle de bains.

EXERCICES

*Transcription*

a. *jardin*
b. *locataire*
c. *ascenseur*
d. *habiter*
e. *salon*
f. *fenêtre*

a. une salle de bains
b. une cuisine
c. un balcon
d. un radiateur
e. des toilettes
f. une porte
g. une fenêtre
h. une chambre d'enfant

a. voisine
b. jardin
c. maison
d. salle à manger
e. escaliers
f. chambre
g. appartement
h. cuisine

## 16. Le mobilier et l'équipement

Pages 73, 74, 75, 76

RÉPONDEZ

**1.** …la cuisine.
**2.** Faux.
**3.** Vrai.

EXERCICES

*Transcription*

a. *baignoire*
b. *table basse*
c. *cuisinière*
d. *commode*
e. *armoire*
f. *réfrigérateur*
g. *chaise*
h. *bibliothèque*

a. table
b. lavabo
c. commode
d. réfrigérateur
e. bureau
f. lit

1. d
2. f
3. e
4. b
5. a
6. c

a. baignoire
b. bibliothèque
c. table
d. chaise
e. télévision
f. ordinateur / bureau

## 17. Les transports publics

Pages 77, 78, 79, 80

RÉPONDEZ

**1.** …un billet de train.
**2.** Faux.
**3.** Vrai.

EXERCICES

1 

*Transcription*

a. *ACCUEIL*
b. *TRAIN*
c. *BATEAU*
d. *QUAI*
e. *PORT*
f. *VOIE*

| Lieux | Moyens de transport | Titres de transport |
|---|---|---|
| une porte d'embarquement<br>une station<br>un aéroport | un taxi<br>un tramway<br>un métro | un ticket<br>un billet |

a. billet
b. ticket
c. aéroport
d. gare
e. port
f. accueil

a. …dans une station.
b. Je fais Paris – Grenoble et Grenoble – Paris.
c. 15 h 20.
d. …une place.
e. …à la porte d'embarquement.
f. Le bus part à 14 h 15.

## 18. Les transports privés

Pages 81, 82, 83, 84

RÉPONDEZ

**1.** Vrai.
**2. a.** 3 **b.** 1 **c.** 2

EXERCICES

1 

*Transcription*

a. *Au prochain carrefour,* ***prenez à gauche****.*
b. *On doit traverser le* ***pont****.*
c. *Sur cette* ***route*** *il n'y a pas beaucoup de voitures.*
b. *Je voudrais avoir un* ***scooter****.*
e. *Au* ***carrefour****, tournez à droite.*
f. *Elle est belle, cette* ***moto*** *!*

a. 2
b. 5
c. 4
d. 6
e. 1
f. 3

a. Vrai.
b. Faux.
c. Vrai.
d. Faux.
e. Faux.
f. Faux.

## **19.** Le tourisme

Pages 85, 86, 87, 88

RÉPONDEZ

**1. a.** Vrai. **b.** Vrai. **c.** En France.

**2. a.** 1 **b.** 2

EXERCICES

**1** 115

*Transcription*

a. *Je passe **la douane**.*

b. *Votre **carte d'identité** s'il vous plaît.*

c. *Il fait **beau**.*

d. *Quel **vent** !*

e. *Il y a beaucoup de **nuages**.*

f. *Je pars à la **campagne**.*

**2**

a. 3
b. 5
c. 6
d. 1
e. 2
f. 4

**3**

a. Vrai.
b. Vrai.
c. Faux.
d. Vrai.
e. Vrai.
f. Vrai.

**4**

a. Il y a du vent.
b. Il pleut.
c. Il y a du soleil. / Il fait beau.
d. Il neige.
e. Il fait chaud.
f. Il fait froid.

## **20.** L'hôtellerie

Pages 89, 90, 91, 92

RÉPONDEZ

**1.** Vrai.
**2.** Faux.
**3.** Vrai.
**4.** Faux.

EXERCICES

**1**

gîte/réception/camper/complet/tente/piscine/sac/clé

**2**

a. 4
b. 1
c. 6
d. 2
e. 3
f. 5

**3**

a. sa tente
b. gîte
c. lit double
d. l'ascenseur
e. réserve
f. camping

**4** 121

*Transcription*

a. *Paul, tu réserves une chambre pour le week-end prochain ?*

b. *J'adore camper !*

c. *Voilà la clé de votre chambre, madame.*

d. *Gaspard, tu montes la tente ?*

e. *Cet été, je loue un gîte avec des amis.*

f. *Quand on a beaucoup de bagages, on prend l'ascenseur.*

| L'hôtel | Le camping | Le gîte |
|---|---|---|
| a / c / f | b / d | e |

## 21. Les fruits et légumes

Pages 93, 94, 95, 96

RÉPONDEZ

**1. a.** Vrai. **b.** Vrai.
**2. a.** 3 **b.** 1 **c.** 4 **d.** 2

EXERCICES

❶

| H | O | D | S | C | W | X | W | Q | U | P | P |
|---|---|---|---|---|---|---|---|---|---|---|---|
| P | A | M | P | L | E | M | O | U | S | S | E |
| G | N | O | O | E | G | N | R | Z | Y | U | C |
| G | A | U | M | M | D | B | A | S | R | I | H |
| S | N | A | M | E | O | C | N | C | R | K | E |
| S | A | U | E | N | U | V | G | F | D | J | A |
| P | S | D | D | T | O | G | E | G | J | G | S |
| U | F | R | A | I | S | E | K | T | G | D | D |
| A | O | S | U | N | U | H | N | M | E | S | W |
| V | S | D | C | E | R | I | S | E | J | K | X |

❷

| Les fruits | Les légumes |
|---|---|
| une poire<br>un melon<br>un abricot<br>une banane | un concombre<br>des haricots verts<br>un radis<br>une pomme de terre |

❸

a. une pêche.
b. une pomme de terre.
c. un chou.
d. un pamplemousse.
e. une courgette.
f. une clémentine.

❹ 127

*Transcription*

a. *J'adore le **melon** !*
b. *Je voudrais deux **kilos** de **poires** s'il vous plaît.*
c. *Je vais acheter 500 **grammes** de **cerises**.*
d. *Les **fruits** et les **légumes**, c'est bon pour la santé.*
e. *Je vais cuisiner les **pommes de terre**.*
f. *Qu'est-ce qu'on mange avec les **haricots verts** ?*

## 22. Les viandes, les poissons, les œufs et les céréales

Pages 97, 98, 99, 100

RÉPONDEZ

**1. a.** Vrai. **b.** …du pain.
**2. a.** 3 **b.** 1 **c.** 2

EXERCICES

❶ 133

*Transcription*

a. *riz*
b. *œuf*
c. *mouton*
d. *bœuf*
e. *agneau*
f. *maïs*

❷

| Animal | Végétal |
|---|---|
| le poulet<br>les œufs<br>le saumon | les pâtes<br>le poivre<br>le pain |

❸

| | | | | | | 2 | | | | | |
|---|---|---|---|---|---|---|---|---|---|---|---|
| a ➤ | | | | S | U | C | R | E | | | |
| | | | | | | R | | | | | |
| b ➤ | | | | | P | O | R | C | | | |
| | | | | | | I | | | 3 | | |
| c ➤ | | | | | | S | | | B | L | É |
| | | 1 | | | | S | | | O | | |
| d ➤ | | P | | | | A | G | N | E | A | U |
| e ➤ | M | O | U | T | O | N | | | U | | |
| | | I | | | | T | | | F | | |
| | | S | | | | | | | | | |
| | | S | | | | | | | | | |
| | | O | | | | | | | | | |
| | | N | | | | | | | | | |

❹

a. Vrai.
b. Vrai.
c. Faux.
d. Faux.
e. Vrai.
f. Vrai.

## 23. Les produits laitiers et les boissons

Pages 101, 102, 103, 104

RÉPONDEZ

**1.** Vrai.
**2.** Faux.
**3.** Faux.
**4.** Faux.

EXERCICES

*Transcription*
a. *café*
b. *camembert*
c. *yaourt*
d. *sirop*
e. *gruyère*
f. *beurre*

❷
un camembert, du gruyère, du beurre, un yaourt, du lait, du bleu

❸
a. Vrai.
b. Vrai.
c. Vrai.
d. Faux.
e. Faux.
f. Vrai.

❹
a. thé
b. crème fraîche
c. lait
d. bière
e. vin blanc
f. vin rouge

## 24. Les repas

Pages 105, 106, 107, 108

RÉPONDEZ

**1. a.** Vrai. **b.** Faux. **c.** Faux.
**2. a.** 1 **b.** 2

EXERCICES

❶
assiette/tasse/goûter/repas/cuillère/verre

❷
a. 3
b. 6
c. 1
d. 2
e. 4
f. 5

❸
a. goûter
b. petit déjeuner
c. assiette
d. cuisiner
e. repas
f. préparer

❹ 143
*Transcription*
a. *À midi, elle **déjeune** au restaurant.*
b. *À 16h, il prend son **goûter**.*
c. *Ce soir, on va **dîner** chez mes parents !*
d. *Je bois un **verre** de vin.*
e. *Pierre, tu peux **mettre la table**, s'il te plaît ?*
f. *Le matin, elle boit du café au **petit déjeuner**.*

## 25. Le restaurant

Pages 109, 110, 111, 112

RÉPONDEZ

**1. a.** Vrai. **b.** Vrai.
**2. a.** 4 **b.** 1 **c.** 2 **d.** 3

EXERCICES

❶

a. RÉSERVER
b. ADDITION
c. DESSERT
d. RESTAURANT
e. MANGER
f. BOISSON

❷

1. f
2. e
3. b
4. d
5. c
6. a

❸

a. 3
b. 1
c. 2
d. 6
e. 4
f. 5

❹  148

*Transcription*

*– Vous avez choisi ?*
*– Moi, je vais prendre le plat du jour.*
*– Moi aussi ….. Et pour les enfants, il y a un menu ?*
*– Oui, bien sûr. Pour le plat, c'est un steak avec des frites et pour le dessert c'est une glace et vous choisissez la boisson.*
*– Très bien ! Deux menus enfants s'il vous plaît !*
*– Et comme boisson ?*
*– De l'eau pour tout le monde.*
*– Vous prendrez une entrée ?*
*– Oui, une salade de tomates.*
*– Non, merci, pas pour moi. Mais je vais prendre un dessert !*

a. Vrai.
b. …d'entrée.
c. …une glace.
d. …de l'eau.
e. Faux.
f. Vrai.

## 26. Les courses

Pages 113, 114, 115, 116

RÉPONDEZ

**1. a.** Vrai. **b.** …au supermarché. **c.** Vrai.
**2. a.** 2 **b.** 1

EXERCICES

❶  154

*Transcription*

a. *On va au **supermarché** ?*
b. *La **vendeuse** est sympathique.*
c. *Oh là là, c'est très **cher** !*
d. *Le client parle à la **poissonnière**.*
e. *C'est un bon **prix** !*
f. *Vous payez en **espèces** ?*
g. *Je vais **acheter** de la viande.*
h. *S'il vous plaît ! Combien ça **coûte** ?*

❷

a. 2
b. 5
c. 3
d. 1
e. 4

❸

a. boucherie
b. magasin
c. boulangerie
d. épicerie
e. charcuterie
f. poissonnerie

❹

| Personnes | Commerces |
|---|---|
| une bouchère | une boucherie |
| un charcutier | une charcuterie |
| un poissonnier | une poissonnerie |
| un boulanger | une boulangerie |

# 27. Les vêtements

Pages 117, 118, 119, 120

RÉPONDEZ

**1.** Vrai.
**2.** Faux.
**3.** Vrai.

EXERCICES

chemise/chaussures/lunettes/gants/chapeau/chaussettes

❷

| Vêtements | Accessoires |
|---|---|
| une jupe<br>un manteau<br>une veste<br>un soutien-gorge | un sac à main<br>des lunettes<br>un chapeau<br>des gants |

a. un T-shirt
b. un slip
c. une montre
d. un jean
e. une ceinture
f. un parapluie

*Transcription*
*– Excusez-moi madame, je peux essayer ce pull ?*
*– Oui, bien sûr !*
*– Vous avez un pantalon noir aussi ?*
*– Un pantalon noir ou un jean si vous préférez.*
*– Oui ! Un jean, c'est parfait.*
*– Et cette chemise ?*
*– Non, merci, je n'aime pas les chemises, je préfère les T-shirts.*
*– Nous avons une très jolie ceinture.*
*– C'est vrai, elle est jolie ! Mais je préfère acheter ce sac à main.*
*– D'accord. Alors, le pull, le jean et le sac à main, c'est ça ?*
*– Oui, merci.*

a. …un pull et un jean.
b. Faux.
c. …les T-shirts.
d. Vrai.
e. …le sac à main.
f. Vrai.

# 28. Les maladies et les accidents

Pages 121, 122, 123, 124

RÉPONDEZ

**1.** Vrai.
**2.** …à la gorge.
**3.** Vrai.
**4.** Faux.

EXERCICES

❶

| E | P | L | S | M | I | U | S | T | N | A | V |
|---|---|---|---|---|---|---|---|---|---|---|---|
| A | N | T | I | B | I | O | T | I | Q | U | E |
| C | P | K | R | R | A | P | H | H | A | T | D |
| C | B | N | O | P | O | E | I | V | S | G | A |
| I | V | C | P | X | S | R | Q | P | I | R | O |
| D | W | S | D | G | M | A | L | A | D | I | E |
| E | A | A | Z | E | R | T | T | Y | U | P | I |
| N | A | E | R | T | Y | I | U | Y | T | P | F |
| T | Z | U | A | R | A | O | L | L | K | E | L |
| A | A | C | I | E | E | N | I | C | U | L | N |

❷

1. c
2. d
3. a
4. e
5. b

❸

a. sparadraps
b. chez le médecin
c. mal au ventre
d. prendre de l'aspirine
e. avaler
f. malade

❹ 165

*Transcription*
a. *Il va* ***chez le médecin.***
b. *Il prend* ***de l'aspirine.***
c. *Tu es* ***malade*** *?*
d. *Elle prend* ***des antibiotiques.***
e. *Elle a* ***une grippe.***
f. *Il y a* ***un accident*** *?*

## 29. Les métiers et les lieux de la santé

Pages 125, 126, 127, 128

RÉPONDEZ

**1.** Vrai.
**2.** …dans un laboratoire d'analyses.
**3.** Vrai.
**4.** Vrai.

EXERCICES

**1**

a. C H I R U R G I E N
b. R A D I O L O G U E
c. P H A R M A C I E N N E
d. M E D E C I N
e. D E N T I S T E
f. I N F I R M I E R

**2**

a. examens
b. radio
c. ordonnance
d. cabinet
e. lits
f. chambre

**3**

a. 3
b. 5
c. 1
d. 4
e. 2

**4** 170

*Transcription*
*laboratoire d'analyses*
*urgences*
*médecin*
*clinique*
*dentiste*
*radiologue*
*pharmacien*
*pharmacie*

| Métiers | Lieux |
|---|---|
| médecin<br>dentiste<br>radiologue<br>pharmacien | laboratoire d'analyses<br>urgences<br>clinique<br>pharmacie |

## 30. La ville

Pages 129, 130, 131, 132

RÉPONDEZ

**1. a.** Vrai. **b.** …une fontaine
**2. a.** 1 **b.** 2

EXERCICES

**1** 

*Transcription*
a. *rivière*
b. *synagogue*
c. *éléphant*
d. *préfecture*
e. *pompier*
f. *fontaine*

a. 4
b. 5
c. 6
d. 2
e. 3
f. 1

**2**

a. fontaine
b. banlieue
c. rivière
d. rue
e. parc
f. pompiers

**3**

a. Faux. On va au zoo.
b. Vrai.
c. Faux. On fait le 18.
d. Vrai.
e. Vrai.
f. Faux. C'est le centre de la ville.

**4**

a. marché
b. place
c. mosquée
d. fleuve
e. temple
f. rue

## 31. La campagne

Pages 133, 134, 135, 136

RÉPONDEZ

**1. a.** Vrai. **b.** Faux.

**2. a.** 2 **b.** 4 **c.** 1 **d.** 3

EXERCICES

*Transcription*

a. *arbre*

b. *champ*

c. *village*

d. *campagne*

e. *bouquet*

f. *chien*

| Les animaux | La flore |
|---|---|
| un lapin<br>un cochon<br>une poule<br>un oiseau | une fleur<br>un arbre<br>une rose<br>une plante |

a. un chat

b. une plante

c. un champ

d. une poule

e. un jardin

a. forêt

b. bouquet

c. chemin

d. animaux

e. campagne

f. vache

## 32. La communication et le numérique

Pages 137, 138, 139, 140

RÉPONDEZ

**1.** Vrai.

**2.** Faux.

**3.** Vrai.

EXERCICES

liker/téléphoner/poster/répondre/envoyer/recevoir

| La poste | Le téléphone et le numérique |
|---|---|
| un courrier<br>un colis<br>une carte postale<br>une lettre | un courriel<br>une tablette<br>une application<br>un smartphone |

a. enveloppe

b. timbre

c. adresse

d. téléphone portable / smartphone

e. numéro de téléphone

f. application

*Transcription*

a. *Je vais à la* ***poste****.*

b. *Il y a une* ***boîte aux lettres*** *ici ?*

c. *Je dois envoyer un* ***mél****.*

d. *Tu dois* ***répondre*** *à son mél.*

e. *J'aime* ***recevoir*** *des messages.*

f. *J'ai un nouvel* ***ordinateur portable****.*

## 33. L'administration française

Pages 141, 142, 143, 144

RÉPONDEZ

**1. a.** Vrai. **b.** Vrai.
**2. a.** 2 **b.** 1

EXERCICES

❶ 194

*Transcription*
*inscription*
*mairie*
*se marier*
*titre de séjour*
*accepter*
*APL*

❷

1. b
2. c
3. d
4. e
5. a

❸

a. ...à la CAF.
b. ...à la mairie.
c. ...au tribunal.
d. ...remplir un formulaire.
e. ...à la préfecture.
f. ...à Pôle emploi.

❹

a. APL
b. s'inscrire
c. remplir un formulaire
d. demande
e. une carte de séjour
f. refuser

## Bilan 1 - L'identité

Pages 146

❶
a. 3
b. 1
c. 5
d. 2
e. 4

❷
a. Faux.
b. Faux.
c. Vrai.
d. Vrai.
e. Faux.

❸
a. nom
b. printemps
c. merci
d. cinquante
e. étage

❹
Les pays : le Canada, l'Allemagne, la Chine, le Maroc, l'Algérie
Les nationalités : algérien, marocain, chinois, allemand, canadien

❺
a. Marlon
b. Française
c. À Lyon / En France
d. 39 ans
e. 21 boulevard Diderot, Lyon

❻
a. vietnamien
b. mars
c. rue
d. s'il vous plaît
e. habite

❼

| 1. | 2. | 3. | 4. | 5. |
|---|---|---|---|---|
| d | c | b | e | a |

## Bilan 2 - L'être humain

Pages 147

❶
a. mince
b. ventre
c. bras
d. cœur
e. timide

❷
heureux, beau, amoureux, intelligent, courageux, content

❸
a. bavard
b. grand
c. laide
d. tête
e. odeur
f. peau

❹
a. 3
b. 4
c. 5
d. 1
e. 2

❺
a. Vrai.
b. Vrai.
c. Vrai.
d. Faux.
e. Faux.

❻
Caractéristiques physiques : les cheveux gris, petite
Caractéristiques morales : timide, méchant, courageux

❼
a. 1
b. 2
c. 1
d. 3
e. 4
f. 5
g. 4
h. 5

## Bilan 3 - Les relations familiales

Pages 148

**1**

a. 2
b. 3
c. 1
d. 5
e. 6
f. 4

**2**

a. veuf
b. ma grand-mère
c. enfants
d. divorcés
e. mère
f. beau-père

**3**

a. famille
b. frère
c. couple
d. situation familiale
e. mariage
f. célibataire

**4**

a. …mariés.
b. …veuve.
c. …père.
d. …belle-mère.
e. …père.
f. …frères et sœurs (et moi).

**5**

a. père
b. fils
c. fille
d. mère
e. petit-fils
f. sœur

**6**

| 1. | 2. | 3. | 4. | 5. |
|---|---|---|---|---|
| c | e | a | d | b |

**7**

a. Vrai.
b. Vrai.
c. Faux. Sébastien est le grand-père d'Alice.
d. Faux. Gabrielle est la belle-mère de Damien.
e. Vrai.

## Bilan 4 - Les loisirs

Pages 149

**1**

Lieux sportifs : stade, terrain, piscine
Lieux culturels : théâtre, cinéma, concert

**2**

Un musicien fait du violon, de la trompette, de la batterie, de la flûte.

**3**

a. …théâtre.
b. …sur un terrain.
c. …à un concert.
d. …au cinéma.
e. …musicien.

**4**

a. 2
b. 3
c. 5
d. 1
e. 4

**5**

a. Vrai.
b. Vrai.
c. Vrai.
d. Vrai.
e. Faux.

**6**

a. chante
b. guitare
c. sort
d. gagne
e. fait

**7**

a. pièce
b. match
c. voir
d. joue / fait
e. danse

**8**

a. un comédien / une comédienne / un acteur / une actrice
b. un musicien / une musicienne
c. le théâtre
d. la natation
e. un stade

## Bilan 5 - La vie quotidienne

Pages 150

❶

2 moments de la journée : matin, soir
1 jour de la semaine : dimanche
3 mots de l'hygiène : savon, shampoing, dentifrice
2 mots de l'heure : midi, minuit

| M | I | D | I | I | O | P | H | K | G | N |
|---|---|---|---|---|---|---|---|---|---|---|
| I | N | I | U | T | R | M | S | D | S | D |
| N | F | M | J | S | A | V | O | N | Q | E |
| U | X | A | T | E | S | A | I | E | W | E |
| I | S | N | Y | E | O | M | R | M | F | Q |
| T | T | C | F | D | I | B | F | A | U | I |
| J | H | H | U | F | R | U | S | T | A | U |
| B | D | E | N | T | I | F | R | I | C | E |
| S | S | H | A | M | P | O | I | N | G | B |

❷

a. semaine
b. mercredi
c. dormir
d. Il prend un bain.
e. Elle fait le ménage.
f. heure

❸

Il se brosse les dents. / Elle prend une douche. / Il se coiffe. / Il se lave. / Il se rase.

❹

| a. | b. | c. | d. | e. | f. |
|---|---|---|---|---|---|
| 4 | 5 | 1 | 2 | 3 | 6 |

❺

a. Vrai.
b. Faux.
c. Vrai.
d. Vrai.
e. Faux.

❻

a. les courses
b. peigne
c. savon
d. le week-end
e. la nuit

❼

a. se couche
b. dort
c. se lève
d. travaille
e. se lave

## Bilan 6 - L'éducation et le travail

Pages 151

❶

regarder/allemand/lecture/histoire/primaire

❷

L'éducation : leçon, maîtresse, classe
Le travail : ouvriers, entreprise

❸

a. italien
b. étudiant
c. élève
d. grève
e. salle de cours

❹

a. 2
b. 5
c. 4
d. 1
e. 3

❺

a. Journaliste
b. travaille
c. espagnol
d. école maternelle
e. feuille

❻

a. collège
b. des crayons de couleurs
c. employés
d. l'éducation physique et sportive
e. le chinois

❼

| 1. | 2. | 3. | 4. | 5. |
|---|---|---|---|---|
| e | a | d | b | c |

❽

a. …répètent.
b. …dans une usine.
c. …apprennent la leçon.
d. …bâtiments.
e. …un stylo.

## Bilan 7 - Le logement

Pages 152

❶

| | | | | | | | | | | | |
|---|---|---|---|---|---|---|---|---|---|---|---|
| L | F | E | N | E | T | R | E | U | I | O | O |
| U | P | A | F | E | P | O | I | U | Y | T | R |
| T | O | I | L | L | E | T | T | E | S | R | Y |
| E | R | Q | S | D | G | H | J | K | A | L | W |
| Z | T | Z | Y | J | K | L | V | N | L | B | J |
| V | E | H | R | A | D | I | O | S | O | D | K |
| J | D | A | S | D | S | S | I | E | N | G | K |
| F | G | G | D | L | K | F | S | Z | Z | D | G |
| S | T | Z | E | R | C | U | I | S | I | N | E |
| V | U | A | E | T | Y | U | N | L | P | M | U |

Les pièces : une chambre d'enfant, une salle de bains, un salon

Les meubles : une armoire, une étagère, un placard

❸

a. voisin
b. pièce
c. radiateur
d. bureau
e. ordinateur
f. baignoire

❹

a. 3
b. 1 (4)
c. 5
d. 2 (3)
e. 4 (3)

❺

a. locataire
b. lavabo
c. jardin
d. table basse
e. ordinateur

❻

a. Vrai.
b. Faux.
c. Vrai.
d. Faux.
e. Vrai.
f. Vrai.

❼

a. les radiateurs
b. l'ascenceur
c. la cuisinière
d. un bureau
e. fenêtre

## Bilan 8 - Les transports

Pages 153

❶

départ/accueil/route/rue/feu/danger

❷

Transports privés : le scooter, le vélo, la moto

Transports publics : l'autobus, le tramway, le métro

❸

a. parking
b. ticket
c. bateau
d. pont
e. ticket
f. information

❹

La voiture : un garagiste, une autoroute, une station-service

Le train : une voie, un billet, un quai

❺

a. taxi
b. aller-retour
c. garage
d. en retard
e. route

❻

a. le pont
b. stations-service
c. garage
d. port
e. voie 3

❼

a. Faux.
b. Vrai.
c. Faux.
d. Vrai.
e. Faux.
f. Vrai.

## Bilan 9 - Les voyages

Pages 154

**1**

a. 3
b. 4
c. 1
d. 2
e. 5

**2**

a. réserver
b. valable
c. visite
d. campagne
e. petit déjeuner

**3**

a. Vrai.
b. Vrai.
c. Vrai.
d. Vrai.
e. Faux.

**4**

a. l'ascenseur
b. la clé
c. froid
d. il pleut
e. un camping

**5**

a. Il fait mauvais.
b. …à la campagne.
c. …il fait chaud.
d. …un hôtel.
e. …un camping.

**6**

a. douane
b. passeport
c. pays
d. piscine
e. tourisme

**7**

Camping : Il monte sa tente., Il campe.
Hôtel : Il réserve une chambre., Il prend la clé à la réception., Il prend un lit double.

**8**

a. chambre
b. gîte
c. carte d'identité
d. petit déjeuner
e. neige

## Bilan 10 - L'alimentation et la restauration

Pages 155

**1**

Les boissons : du sirop, du thé
Les produits laitiers : de la crème fraîche, un yaourt
Les céréales : du maïs, du blé
Les viandes : du poulet, de l'agneau
Les fruits et légumes : un concombre, un melon

**2**

a. 5
b. 3
c. 1
d. 2
e. 4

**3**

a. un verre
b. un poisson
c. légumes
d. l'addition
e. boire

**4**

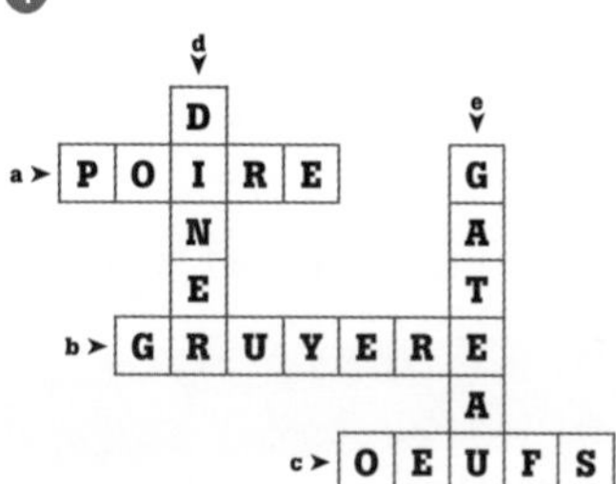


**5**

a. grammes
b. croissants
c. glace
d. déjeune
e. réserver une table

**6**

a. Vrai.
b. Vrai.
c. Vrai.
d. Vrai.
e. Faux.

**7**

| a. | b. | c. | d. | e. |
|---|---|---|---|---|
| 5 | 4 | 1 | 3 | 2 |

## Bilan 11 - Les commerces

Pages 156

**1**

a. CHARCUTERIE
b. BOULANGERIE
c. BOUCHERIE
d. POISSONNERIE
e. ÉPICERIE

**2**

a. Vrai.
b. Vrai.
c. Faux.
d. Vrai.
e. Faux.

**3**

a. bouchère
b. poissonnier
c. épicière
d. vendeuse
e. charcutier

**4**

a. des lunettes – une ceinture
b. une veste – un pull
c. un soutien-gorge – un slip
d. un client – un vendeur

**5**

a. 3
b. 1
c. 2
d. 6
e. 7
f. 4
g. 5

**6**

a. acheter
b. boutique
c. essaie
d. coûte
e. paie par carte

**7**

## Bilan 12 - La santé

Pages 157

**1**

sirop/rhume/chirurgie/radiologie/clinique

**2**

a. radio
b. infirmier
c. sparadraps
d. aspirine
e. examen

**3**

a. 3
b. 4
c. 1
d. 2
e. 5

**4**

a. laboratoire d'analyses
b. infirmière
c. lits
d. mal au ventre
e. mal à la tête

**5**

a. Faux.
b. Faux.
c. Faux.
d. Vrai.
e. Vrai.

**6**

Un médecin : travaille dans un hôpital, fait une ordonnance
Une personne malade : a de la fièvre, avale des médicaments, prends des antibiotiques, achète du sirop

**7**

a. aux urgences
b. à la maternité
c. médicaments
d. pharmacie
e. opérations

**8**

| 1. | 2. | 3. | 4. |
|---|---|---|---|
| d | b | a | c |

## Bilan 13 - La ville et la campagne

Pages 158

❶

La ville : la banlieue, un parc, un zoo
La campagne : une poule, la forêt, un champ, une vache, un village

❷

a. préfecture
b. jardin
c. village
d. cochon
e. place
f. rue
g. chemin
h. quartier

❸

a. 3
b. 5
c. 6
d. 1
e. 2
f. 4

❹

a. parc
b. plantes
c. commissariat de police
d. lions
e. marché
f. fontaine

❺

a. vaches
b. les secours
c. la forêt
d. fleurs
e. arbres
f. banlieue

❻

a. Faux.
b. Vrai.
c. Vrai.
d. Vrai.
e. Faux.
f. Faux.

## Bilan 14 - La communication et l'administration

Pages 159

❶

a. 4
b. 5
c. 1
d. 3
e. 2

❷

a. remplir un formulaire
b. timbre
c. numérique
d. enveloppe
e. courriel

❸

Le téléphone et le numérique : recevoir un courriel, téléphoner, envoyer un sms
L'administration : refuser une demande, accepter une demande, remplir un formulaire, s'inscrire

❹

a. 3
b. 5
c. 1
d. 2
e. 7
f. 8
g. 4
h. 6

❺

a. carte postale
b. répond
c. téléphone portable
d. préfecture
e. l'inscription

❻

a. l'adresse
b. ordinateur portable
c. boîte aux lettres
d. le permis de séjour
e. numéro de téléphone

❼

a. Vrai.
b. Vrai.
c. Faux.
d. Faux.
e. Vrai.

# Lexique plurilingue

M pour masculin, F pour féminin

| Français | Anglais | Espagnol | Chinois | Arabe |
|---|---|---|---|---|
| à côté | next to | al lado | 在...旁边 | بجوار |
| à droite | to the right | a la derecha | 在右侧 | على يمين |
| à gauche | to the left | a la izquierda | 在左侧 | على يسار |
| abricot M | apricot | albaricoque | 杏 | مشمش |
| accepter | (to) accept | aceptar | 接受 | يَقبَل |
| accessoire M | accessory | accesorio | 配饰 | متمم، متم |
| accident M | accident | accidente | 事故 | حادث |
| accueil M | information desk | punto de información | 接待台 | الاستقبال |
| acheter | (to) buy | comprar | 购买 | يشتري |
| acteur M | actor | actor | 男演员 | ممثل |
| actrice F | actress | actriz | 女演员 | ممثلة |
| addition F | bill | cuenta | 账单 | الفاتورة |
| administration F | administration | administración | 行政管理 | الإدارة |
| adorer | (to) love | adorar, encantar | 热爱 | يعشق |
| adresse F | address | dirección | 地址 | عنوان |
| aéroport M | airport | aeropuerto | 机场 | مطار |
| âge M | age | edad | 年龄 | السن |
| agneau M | lamb | cordero | 羔羊 | حَمَل |
| agriculture F | agriculture | agricultura | 农业 | الزراعة |
| aide F | help | ayuda | 补贴 | مساعدة |
| aimer | (to) like | gustar | 喜欢 | يحب |
| album M | album | disco | 唱片集 | ألبوم |
| alcool M | alcohol | alcohol | 白酒 | الكحول |
| Algérie F | Algeria | Argelia | 阿尔及利亚 | الجزائر |
| algérien M | Algerian | argelino | 阿尔及利亚男人 | جزائري |
| algérienne F | Algerian | argelina | 阿尔及利亚女人 | جزائرية |
| aliment M | food | alimento | 食物 | طعام |
| Allemagne F | Germany | Alemania | 德国 | ألمانيا |
| allemand M | German | alemán | 德国男人 | ألماني |
| allemande F | German | alemana | 德国女人 | ألمانية |
| aller | (to) go | ir | 去 | يذهب |
| aller chez le médecin | (to) go to the doctor | ir al médico | 去看医生 | يذهب للطبيب |
| aller-retour M | return ticket | ida y vuelta | 往返行程 | ذهاب وعودة<br>تذكرة ذهاب وعودة |
| allô | hello | dígame, ¿Sí?, ¿Diga? | 喂! [电话用语, 不能用于打招呼] | آلو |
| allons-y | let's do it / let's go | vamos | 走吧 | هيا بنا |
| alors | so | entonces | 那么 | إذا |
| alphabet M | alphabet | alfabeto | 字母表 | الأبجدية |
| américain M | American | estadounidense | 美国男人 | أمريكي |
| américaine F | American | estadounidense | 美国女人 | أمريكية |
| ami M | friend | amigo | 男性朋友 | صديق |
| amie F | friend | amiga | 女性朋友 | صدِيقة |
| amour M | love | amor | 爱 | الحب |
| amoureux M | in love | enamorado | 恋爱 | حبيب |
| amoureuse F | in love | enamorada | 恋爱 | حبيبة |
| an M | year | año | 年 | عام |
| analyses F | tests | análisis | 分析 | تحاليل |
| ananas M | pineapple | piña | 菠萝 | أناناس |
| ancien M | old | antiguo | 古老的 | قديم |
| ancienne F | old | antigua | 古老的 | قديمة |
| anglais M | English | inglés | 英国男人 | إنجليزي |
| anglaise F | English | inglesa | 英国女人 | إنجليزية |
| Angleterre F | England | Inglaterra | 英国 | انجلترا |
| animal M [le nom] | animal | animal | 动物 | حيوان |
| animal M [l'adjectif] | animal | animal | 动物的 | حيواني |
| animale F [l'adjectif] | animal | animal | 动物的 | حيوانية |
| année F | year | año | 年份 | سنة |

| Français | Anglais | Espagnol | Chinois | Arabe |
|---|---|---|---|---|
| année prochaine **F** | next year | año que viene | 明年 | السنة القادمة |
| anniversaire **M** | birthday | cumpleaños | 周年纪念日 | عيد ميلاد |
| antibiotique **M** | antibiotic | antibiótico | 抗生素 | مضاد حيوي |
| août | August | agosto | 八月 | أغسطس |
| APL | housing benefit | ayuda personalizada para la vivienda del gobierno francés | 个人住房补贴 | إعانة إسكان فردية |
| appareil **M** | appliances, devices | aparato | 设备 | جهاز |
| appartement **M** | apartment | apartamento | 公寓 | شقة |
| appeler | (to) call | llamar | 打电话 | يتصل |
| application **F** | app | aplicación | 应用程序 | تطبيق |
| apporter | (to) bring | traer | 带来 | يُحضر |
| apprendre | (to) learn | aprender | 学习 | يتعلم |
| après | after | después | 在...之后 | بعد |
| après-midi **M F** | afternoon | tarde | 下午 | بعد الظهر |
| arabe **M** | Arabic | árabe | 阿拉伯人的 | عربي |
| Arabie Saoudite **F** | Saudi Arabia | Arabia Saudí | 沙特阿拉伯 | السعودية |
| arbre **M** | tree | árbol | 树 | شجرة |
| argent **M** | money | dinero | 钱 | نقود |
| armoire **F** | cabinet | armario | 衣橱 | خزانة |
| arrêter | (to) stop | parar | 中断 | يوقف |
| arrivée **F** | arrival | llegada | 终点站 | وصول |
| arriver | (to) arrive | llegar | 到达 | يصل |
| arts plastiques **M** | arts and crafts | artes plásticas | 美术 | الفنون التشكيلية |
| ascenseur **M** | lift | ascensor | 电梯 | المصعد |
| aspirine **F** | aspirin | aspirina | 阿司匹林 | أسبيرين |
| assiette **F** | plate | plato | 餐盘 | طبق |
| assis **M** | seated | sentado | 坐 | جالس |
| assise **F** | seated | sentada | 坐 | جالسة |
| attendre | (to) wait | esperar | 等候 | ينتظر |
| attention | carefully, closely | atención | 专心 | انتباه |
| au revoir | goodbye | adiós | 再见 | إلى اللقاء |
| aujourd'hui | today | hoy | 今天 | اليوم |
| aussi | also | también | 同样 | أيضا |
| autobus / bus **M** | bus | autobús | 公共汽车 | أوتوبيس |
| automne **M** | autumn | otoño | 秋天 | الخريف |
| automobiliste **M F** | driver | conductor, conductora | 驾车者 | قائد السيارة |
| autoroute **F** | motorway | autopista | 高速公路 | طريق سريع |
| autre **M F** | other | otro, otra | 另外的 | آخر |
| avaler | (to) swallow | tragar | 吞服 | يبتلع |
| avant | in the front | parte delantera | 在...前部 | قبل |
| avec | with | con | 和 | مع |
| avenue **F** | avenue | avenida | 林荫道 | طريق |
| avion **M** | plane | avión | 飞机 | طائرة |
| avocat **M** | solicitor | abogado | 男律师 | محام |
| avocate **F** | solicitor | abogada | 女律师 | محامية |
| avoir de la place | (to) have room | tener sitio | 有空间 | لديه مكان |
| avoir faim | (to) be hungry | tener hambre | 饿了 | يشعر بالجوع |
| avoir mal | (to) hurt, (to) be in pain | doler | 疼 | يشعر بألم |
| avoir mal à la gorge | (to) have a sore throat | tener dolor de garganta | 嗓子疼 | يشعر بألم في الحلق |
| avoir mal à la tête | (to) have a headache | tener dolor de cabeza | 头疼 | يشعر بصداع |
| avoir mal à l'estomac | (to) have a stomach ache | tener dolor de estómago | 胃疼 | يشعر بألم في المعدة |
| avoir mal au ventre | (to) have a sore tummy | tener dolor de barriga | 肚子疼 | يشعر بألم في البطن |
| avoir mal aux dents | (to) have toothache | tener dolor de muelas | 牙疼 | يشعر بألم في الأسنان |
| avoir soif | (to) be thirsty | tener sed | 渴了 | يشعر بالعطش |

| Français | Anglais | Espagnol | Chinois | Arabe |
|---|---|---|---|---|
| avril | April | abril | 四月 | أبريل |
| badminton **M** | badminton | bádminton | 羽毛球 | كرة الريشة |
| bagages **M** | luggage | maletas | 行李 | حقائب |
| baguette **F** | baguette | baguette | 法棍面包 | خبز إفرنجي |
| baignoire **F** | bathtub | bañera | 浴缸 | بانيو |
| bain **M** | bath | baño | 洗澡 | حمام |
| balcon **M** | balcony | balcón | 阳台 | شُرفة |
| banane **F** | banana | plátano | 香蕉 | موز |
| banlieue **F** | suburb | afueras | 郊区 | ضاحية |
| banque **F** | bank | banco | 银行 | بنك |
| basket **M** | basketball | baloncesto | 篮球 | كرة السلة |
| bateau **M** | boat | barco | 船 | قارب |
| bâtiment **M** | building | edificio | 建筑物 | مبنى |
| batterie **F** | drums | batería | 打击乐器组 | الطبول |
| bavard **M** | chatty | charlatán | 健谈的 | ثرثار |
| bavarde **F** | chatty | charlatana | 健谈的 | ثرثارة |
| beau **M** | beautiful, handsome | guapo | 美丽的 | جميل |
| belle **F** | beautiful, handsome | guapa | 美丽的 | جميلة |
| beaucoup | a lot | mucho, mucha | 很多 | كثيرًا |
| beau-père **M** | father-in-law | padrastro | 岳父 | الحمو |
| belle-mère **F** | mother-in-law | madrastra | 岳母 | الحماة |
| bébé **M** | baby | bebé | 婴儿 | طفل رضيع |
| bête **M F** | stupid | tonto, tonta | 愚蠢的 | غبي |
| beurre **M** | butter | mantequilla | 黄油 | الزبد |
| bibliothèque **F** | bookshelf | biblioteca | 书架 | مَكتَبة حائط |
| bien | good, well | bien | 好的 | جيدًا |
| bien sûr | of course | por supuesto | 当然 | بالتأكيد |
| bière **F** | beer | cerveza | 啤酒 | بيرة |
| billet **M** | ticket | billete | 票 | تذكرة |
| blanc **M** | white | blanco | 白色的 | أبيض |
| blanche **F** | white | blanca | 白色的 | بيضاء |
| blé **M** | wheat | trigo | 小麦 | قمح |
| bleu **M** | blue | azul | 蓝色的 | أزرق |
| bleue **F** | blue | azul | 蓝色的 | زرقاء |
| blond **M** | blonde | rubio | 金黄色的 | أشقر |
| blonde **F** | blonde | rubia | 金黄色的 | شقراء |
| bœuf **M** | cow | buey | 牛 | الثور |
| boire | (to) drink | beber | 喝 | يشرب |
| boisson **F** | drink | bebida | 饮料 | مشروب |
| boîte aux lettres **F** | letterbox | buzón | 邮箱 | صندوق البريد |
| boîte de sparadraps **F** | box of plasters | caja de tiritas | 橡皮膏盒 | علبة أشرطة لاصقة |
| bon **M** | good | bueno, buen | 美味的， | جيد |
| bonne **F** | good | buena | 良好的 | جيدة |
| bonjour | good morning | buenos días | 早上好 | صباح الخير |
| bonsoir | good evening | buenas tardes / noches | 晚上好 | مساء الخير |
| bouche **F** | mouth | boca | 口 | الفم |
| boucher **M** | butcher | carnicero | 屠夫 | جزار |
| bouchère **F** | butcher | carnicera | 屠夫 | جزارة |
| boucherie **F** | butcher's | carnicería | 肉店 | محل جزارة |
| boulanger **M** | baker | panadero | 男面包师 | خباز |
| boulangère **F** | baker | panadera | 女面包师 | خبازة |
| boulangerie **F** | bakery | panadería | 面包店 | مخبز |
| boulevard **M** | boulevard | bulevar | 林荫大道 | جادة |
| bouquet **M** | bunch | ramo | 花束 | باقة |
| boutique **F** | shop | tienda | 商店 | متجر |
| bras **M** | arm | brazo | 手臂 | ذراع |
| brosse à dents **F** | toothbrush | cepillo de dientes | 牙刷 | فرشاة أسنان |
| bruit **M** | noise | ruido | 噪音 | ضوضاء |

| Français | Anglais | Espagnol | Chinois | Arabe |
|---|---|---|---|---|
| brun **M** | brown | moreno | 棕色的 | أسمر |
| brune **F** | brown | morena | | سمراء |
| bureau **M** | desk, office | escritorio, despacho | 书桌；办公室 | مَكتَب |
| cabinet **M** | office, surgery | despacho, consulta | 事务所；诊所 | مكتب |
| CAF **F** | benefits office | Caja de subsidio familiar, ayuda económica para el alojamiento en Francia | 家庭津贴基金 | صندوق المساعدات العائلية |
| café **M** | coffee | café | 咖啡 | قهوة |
| cafétéria **F** | canteen | cafetería | 快餐厅 | كافتيريا |
| calcul **M** | calculator | cálculo | 计算 | الحساب |
| calme **M F** | calm | tranquilo, tranquila | 平静的 | هادئ، هادئة |
| camembert **M** | camembert | queso camembert | 卡门贝干酪 | جبن الكاممبير |
| campagne **F** | countryside | campo | 乡村 | ريف |
| camper | (to) camp | acampar | 露营 | يعسكر في مخيم |
| camping **M** | camping, campsite | camping | 露营；露营地 | معسكر تخييم |
| Canada **M** | Canada | Canadá | 加拿大 | كندا |
| canadien **M** | Canadian | canadiense | 加拿大男人 | كندي |
| canadienne **F** | Canadian | canadiense | 加拿大女人 | كندية |
| canapé **M** | sofa | sofá | 长沙发 | أريكة |
| caractéristique **F** | characteristic | característica | 特征 | سمة |
| carotte **F** | carrot | zanahoria | 胡萝卜 | الجزر |
| carrefour **M** | crossroad | cruce | 十字路口 | مفترق طرق |
| cartable **M** | school bag | mochila | 书包 | حقيبة |
| carte bancaire **F** | credit / debit card | tarjeta bancaria | 银行卡 | بطاقة بنكية |
| carte **F** | menu | carta | 菜单 | قائمة الطعام |
| carte de séjour **F** | residency permit | tarjeta de residente | 居留证 | بطاقة الإقامة |
| carte d'identité **F** | identity card | carné de identidad | 身份证 | بطاقة هوية |
| carte postale **F** | postcard | postal | 明信片 | بطاقة بريدية |
| ceinture **F** | belt | cinturón | 腰带 | حزام |
| célibataire **M F** | single | soltero, soltera | 单身者 | أعزب، عزباء |
| centime **M** | cent | céntimo | 分 | سنتيم |
| centimètre **M** | centimetre | centímetro | 厘米 | سنتيمتر |
| centre-ville **M** | city centre, town centre | centro de la ciudad | 市中心 | وسط المدينة |
| céréales **F** | cereal | cereales | 谷物 | الحبوب |
| cerise **F** | cherry | cereza | 樱桃 | الكرز |
| chaise **F** | chair | silla | 椅子 | كرسي |
| chambre **F** | bedroom | habitación | 房间 | غرفة |
| chambre d'enfant **F** | child's bedroom / nursery | habitación infantil | 儿童房 | غرفة أطفال |
| champ **M** | field | campo | 田野 | حقل |
| changer | (to) change | cambiar | 更换 | يغيّر |
| chapeau **M** | hat | sombrero | 帽子 | قبعة |
| charcuterie **F** | deli | charcutería | 猪肉食品 | لحم الخنزير |
| charcutier **M** | butcher | charcutero | 猪肉商 | بائع لحم الخنزير |
| charcutière **F** | butcher | charcutera | 猪肉商 | بائعة لحم الخنزير |
| chat **M** | cat | gato | 猫 | قطة |
| châtain **M F** | light brown | castaño, castaña | 栗色 | كستنائي |
| chaussure **F** | shoe | zapato | 鞋 | حذاء، أحذية |
| chemin **M** | path | camino | 小路 | طريق |
| chemise **F** | shirt | camisa | 衬衫 | قميص |
| chèque **M** | cheque | cheque | 支票 | شيك |
| cher **M** | expensive | caro | 昂贵的 | عزيزي |
| chère **F** | expensive | cara | 昂贵的 | عزيزتي |
| chercher | (to) look for, (to) search for | buscar | 寻找 | يبحث عن |
| chéri **M** | darling | cariño | 心爱的人 | حبيبي |
| chérie **F** | darling | cariño | 心爱的人 | حبيبتي |

| Français | Anglais | Espagnol | Chinois | Arabe |
|---|---|---|---|---|
| cheveux **M** | hair | pelo | 头发 | شعر |
| chèvre **F** - fromage de chèvre **M** | goat - goat's cheese | cabra - queso de cabra | 山羊奶酪 | ماعز - جبن الماعز |
| chez | at, to (stay at home / go to the doctor's) | en casa de, al | 在...家里，在...场所 | عند |
| chien **M** | dog | perro | 狗 | كلب |
| chimie **F** | chemistry | química | 化学 | كيمياء |
| Chine **F** | China | China | 中国 | الصين |
| chinois **M** | Chinese | chino | 中国男人 | صيني |
| chinoise **F** | Chinese | china | 中国女人 | صينية |
| chirurgie **F** | surgery | cirugía | 外科手术 | جراحة |
| chirurgien **M** | surgeon | cirujano | 男外科医生 | طبيب جراح |
| chirurgienne **F** | surgeon | cirujana | 女外科医生 | طبيبة جراحة |
| chocolat **M** | chocolate | chocolate | 巧克力 | شوكولاتة |
| choisir | (to) choose | elegir | 选择 | يختار |
| chose **F** | thing | cosa | 东西 | شيء |
| chou **M** | cabbage | col | 卷心菜 | الكرنب، الملفوف |
| ciel **M** | sky | cielo | 天空 | سماء |
| cinéma **M** | cinema | cine | 电影院 | سينما |
| classe **F** | class | clase | 教室 | فصل |
| clé **F** | key | llave | 钥匙 | مفتاح |
| clémentine **F** | clementine | clementina | 小柑橘 | كليمونتين (فاكهة) |
| client **M** | customer | cliente | 客户 | زبون |
| cliente **F** | customer | clienta | 客户 | زبونة |
| clinique **F** | clinic | clínica | 诊所 | عيادة |
| cochon **M** | pig | cerdo | 猪 | خنزير |
| code postal **M** | postcode | código postal | 邮政编码 | رمز بريدي |
| cœur **M** | heart | corazón | 心脏 | قلب |
| colis **M** | parcel | paquete | 包裹 | طرد ، حزمة |
| collant **M** | tights | panties, medias | 紧身衣 | بنطلون ضيق |
| collège **M** | secondary school | secundaria | 中学 | مدرسة إعدادية |
| collègue **M F** | colleague | compañero, compañera | 同事 | زميل، زميلة |
| combien | how much | cuánto | 多少 | كم |
| comédien **M** | comedian | actor | 男喜剧演员 | ممثل كوميدي |
| comédienne **F** | comedian | actriz | 女喜剧演员 | ممثلة كوميدية |
| comme ça | like that | así | 像这样的 | مثل هذا |
| commencer | (to) start | comenzar | 开始 | يبدأ |
| comment | how | cómo | 如何 | كيف |
| commentaire **M** | comment | comentario | 评论 | تعليق |
| commerçant **M** | shopkeeper | comerciante | 男商人 | تاجر |
| commerçante **F** | shopkeeper | comerciante | 女商人 | تاجرة |
| commerce **M** | shop | comercio | 商业 | تجارة |
| commissariat de police **M** | police station | comisaría de policía | 派出所 | قسم شرطة |
| commode **F** | chest of drawers | cómoda | 五斗橱 | خزانة أدراج |
| communication **F** | communication | comunicación | 通讯 | اتصال |
| compétition **F** | competition | competición | 竞赛 | مسابقة |
| complet **M** | complete, entire, full | completo | 整套的，整个的，满员 | كامل |
| complète **F** | complete, entire, full | completa | 整套的，整个的，满员 | كاملة |
| compliqué **M** | complicated | complicado | 复杂的 | معقد |
| compliquée **F** | complicated | complicada | 复杂的 | معقدة |
| comprendre | (to) understand | entender | 理解 | يفهم |
| compter | (to) count | contar | 统计 | يحسب |
| concert **M** | concert | concierto | 音乐会 | حفلة موسيقية |
| concombre **M** | cucumber | pepino | 黄瓜 | خيار |
| conditions de travail **F** | working conditions | condiciones de trabajo | 工作条件 | شروط العمل |
| connaître | (to) know | conocer | 了解 | يعرف |
| content **M** | happy | contento | 高兴的 | مسرور |
| contente **F** | happy | contenta | 高兴的 | مسرورة |

| Français | Anglais | Espagnol | Chinois | Arabe |
| --- | --- | --- | --- | --- |
| contre | against | contra | 对抗 | ضد |
| conversation F | conversation | conversación | 谈话 | محادثة |
| Corée du Sud F | South Korea | Corea del Sur | 韩国 | كوريا الجنوبية |
| coréen du sud M | South Korean | surcoreano | 韩国男人 | كوري جنوبي |
| coréenne du sud F | South Korean | surcoreana | 韩国女人 | كورية جنوبية |
| corps M | body | cuerpo | 人体 | الجسم |
| couple M | couple | pareja | 夫妇 | زوجين |
| courageux M | brave | valiente | 勇敢的 | شجاع |
| courageuse F | brave | valiente | 勇敢的 | شجاعة |
| courant M | everyday | habitual | 日常的 | الجاري |
| courante F | everyday | habitual | 日常的 | الجارية |
| courgette F | courgette | calabacín | 西葫 | الكوسة |
| courir | (to) run | correr | 跑步 | يجري |
| courriel M | email | correo electrónico | 电子邮件 | بريد إلكتروني |
| courrier M | mail | correo postal | 邮件 | بريد |
| cours M | lesson | clase | 课程 | حصة، محاضرة |
| course à pied F | running | carrera | 跑步 | سباق عدو |
| courses F | shopping | compras | 购物 | التسوق |
| couteau M | knife | cuchillo | 刀具 | سكين |
| coûter | (to) cost | costar | 花费 | يكلف |
| couvert M | cutlery | cubierto | 餐具 | أدوات المائدة |
| crayon M | pencil | lápiz | 铅笔 | قلم رصاص |
| crayon de couleur M | coloured pencil | lápiz de color | 彩色铅笔 | قلم رصاص ألوان |
| crème fraîche F | crème fraîche | nata fresca | 鲜奶油 | قشدة طازجة |
| croissant M | croissant | cruasán | 牛角面包 | كرواسون |
| cuillière F | spoon | cuchara | 勺 | ملعقة |
| cuisine F | kitchen | cocina | 厨房 | مطبخ |
| cuisiner | (to) cook | cocinar | 烹饪 | يطهو |
| cuisinière F | oven | cocina (aparato) | 炉灶 | آلة طبخ |
| cyclisme M | cycling | ciclismo | 骑自行车 | ركوب الدراجات |
| d'abord | firstly | primero | 首先 | أولا |
| danger M | danger | peligro | 危险 | خطر |
| danse F | dance | danza | 舞蹈 | رقص |
| danse classique F | ballet | danza clásica | 古典舞蹈 | رقص كلاسيكي |
| danser | (to) dance | bailar | 跳舞 | يرقص |
| date de naissance F | date of birth | fecha de nacimiento | 出生日期 | تاريخ الميلاد |
| décembre | December | diciembre | 十二月 | ديسمبر |
| décrire | (to) describe | describir | 描述 | يصف |
| déjà | already | ya | 已经 | بالفعل، من قبل |
| déjeuner M | lunch | almuerzo | 午餐 | وجبة الغداء |
| déjeuner [le verbe] | (to) have lunch | almorzar | 吃午餐 | يتناول الغداء |
| délicieux M | delicious | delicioso | 美味的 | لذيذ |
| délicieuse F | delicious | deliciosa | 美味的 | لذيذة |
| demain | tomorrow | mañana | 明天 | غدًا |
| demande F | application | solicitud | 申请书 | طلب |
| demander | (to) ask | pedir, preguntar | 请求 | يطلب |
| démarche F | process | trámite | 程序 | إجراء، خطوة |
| demi M | half | medio | 半 | نصف |
| demie F | half | media | 半 | نصف (مؤنث) |
| dent F | tooth | diente | 牙齿 | سن |
| dentifrice M | toothpaste | pasta de dientes | 牙膏 | معجون أسنان |
| dentiste M F | dentist | dentista | 牙医 | طبيب أسنان، طبيبة أسنان |
| départ M | departure | salida | 出发 | مغادرة |
| derrière | behind | detrás de | 在...后面 | خلف |
| désolé M | sorry | sentirlo mucho | 遗憾的 | أسف |
| désolée F | sorry | sentirlo mucho | 遗憾的 | أسفة |

| Français | Anglais | Espagnol | Chinois | Arabe |
|---|---|---|---|---|
| dessert M | dessert | postre | 甜品 | طبق الحلو |
| dessiner | (to) draw | dibujar | 画画 | يرسم |
| détester | (to) hate | odiar | 讨厌 | يكره |
| deuxième M F | second | segundo, segunda | 第二 | الثاني ، الثانية |
| devant | in front of | delante de | 在...前面 | أمام |
| devoir [le verbe] | (to) have to | deber | 必须 | يجب |
| devoir M | homework | deberes | 家庭作业 | واجب |
| dictionnaire M | dictionary | diccionario | 字典 | قاموس |
| différent M | different | diferente | 不同的 | مختلف |
| différente F | different | diferente | 不同的 | مختلفة |
| dimanche M | Sunday | domingo | 星期日 | الأحد |
| dîner M | dinner | cena | 晚餐 | العشاء |
| dîner [le verbe] | (to) have dinner | cenar | 吃晚餐 | يتناول العشاء |
| divorcé M | divorced | divorciado | 离婚的 | مُطلق |
| divorcée F | divorced | divorciada | 离婚的 | مُطلقة |
| divorcer | (to) divorce | divorciarse | 离婚 | يُطلق |
| docteur M | doctor | médico | 医生 | طبيب، دكتور |
| docteure F | doctor | médica | 医生 | طبيبة، دكتورة |
| doigt M | finger | dedo | 手指 | إصبع |
| dommage | shame | qué pena | 遗憾 | خسارة |
| donner | (to) give | dar | 给予 | يعطي |
| dormir | (to) sleep | dormir | 睡觉 | ينام |
| douane F | customs | aduana | 海关 | الجمرك |
| douche F | shower | ducha | 淋浴 | دش |
| doux M | soft | suave, dulce | 温柔的 | لطيف |
| douce F | soft | suave, dulce | 温柔的 | لطيفة |
| droite M F | right | derecha | 右侧 | يمين |
| eau F | water | agua | 水 | ماء |
| école F | school | escuela, colegio | 学校 | مدرسة |
| école primaire F | primary school | colegio de primaria | 小学 | مدرسة ابتدائية |
| économie F | economy | economía | 经济 | الاقتصاد |
| écouter | (to) listen | escuchar | 听 | يستمع |
| écrire | (to) write | escribir | 写 | يكتب |
| écriture F | handwriting | escritura | 书法 | كتابة |
| éducatif M | educational | educativo | 教育的 | تعليمي |
| éducation artistique F | artistic education | educación artística | 艺术教育 | التربية الفنية |
| éducation physique et sportive F | physical education and sports | educación física y deportiva | 体育 | التربية البدنية والرياضية |
| église F | church | iglesia | 教堂 | كنيسة |
| Égypte F | Egypt | Egipto | 埃及 | مصر |
| égyptien M | Egyptian | egipcio | 埃及男人 | مصري |
| égyptienne F | Egyptian | egipcia | 埃及女人 | مصرية |
| électroménager M | household appliances | electrodoméstico | 家用电器 | جهاز كهربائي منزلي |
| éléphant M | elephant | elefante | 大象 | فيل |
| élève M F | pupil | alumno, alumna | 学生 | تلميذ |
| émotion F | emotion | emoción | 情绪 | عاطفة |
| employé M | employee | empleado | 员工 | موظف |
| employée F | employee | empleada | 员工 | موظفة |
| en retard | late | (llegar) tarde | 迟到 | متأخرا |
| encore | again | todavía | 再 | لا يزال |
| enfant M F | child | niño, niña | 小孩 | طفل |
| ensemble | together | juntos, juntas | 一起 | معًا |
| entendre | (to) hear | oír | 听见 | يسمع |
| entrée F | starter | primer plato | 第一道正菜 | مقبلات، فاتح الشهية |
| entreprise F | business | empresa | 企业 | شركة |
| enveloppe F | envelope | sobre | 信封 | مظروف |
| envoyer | (to) send | enviar | 派送 | يرسل |
| épeler | (to) spell | deletrear | 拼写 | تهجأ |

| Français | Anglais | Espagnol | Chinois | Arabe |
|---|---|---|---|---|
| épicerie F | greengrocer's | tienda de comestibles | 食品杂货店 | بقالة |
| épices F | spices | especias | 香料 | توابل |
| épicier M | grocer | tendero | 食品杂货商 | بقّال |
| épicière F | grocer | tendera | 食品杂货商 | بقّالة |
| équipement M | equipment | equipo | 设备 | معدات، تجهيزات |
| escalier M | staircase | escalera | 楼梯 | سُلّم |
| Espagne F | Spain | España | 西班牙 | إسبانيا |
| espagnol M | Spanish | español | 西班牙男人 | أسباني |
| espagnole F | Spanich | española | 西班牙女人 | إسبانية |
| espèces F | cash | efectivo | 现金 | نقدي |
| essayer | (to) try | intentar | 尝试 | يحاول |
| et avec ça ? | anything else? | ¿algo más? | 还要别的吗？ | ومع هذا |
| étage M | floor | piso | 楼层 | طابق |
| étagère F | shelf | estantería | 搁物架 | رف |
| États-Unis M | United States | Estados Unidos | 美国 | الولايات المتحدة الأمريكية |
| été M | summer | verano | 夏天 | صيف |
| étranger M | foreigner | extranjero | 外国男人 | أجنبي |
| étrangère F | foreigner | extranjera | 外国女人 | أجنبية |
| être malade | (to) be ill | estar enfermo, enferma | 生病 | يمرض، يصاب بالمرض |
| étudiant M | student | estudiante | 男大学生 | طالب |
| étudiante F | student | estudiante | 女大学生 | طالبة |
| étudier | (to) study | estudiar | 学习 | يدرس |
| euro M | euro | euro | 欧元 | يورو |
| examen M | examination | pruebas médicas | 检查 | فحص |
| exemple M | example | ejemplo | 示例 | مثال |
| exercice M | exercise | ejercicio | 练习 | تمرين |
| facile M F | easy | fácil | 容易的 | سهل، سهلة |
| faire | (to) do / make | hacer | 做 | يؤدي، يقوم بعمل |
| faire la cuisine | (to) cook | cocinar | 做饭 | يطهو |
| faire le ménage | (to) clean | limpiar | 做家务 | ينظف المكان، يؤدي أعمال التنظيف بالمنزل |
| faire les courses | (to) do the shopping | hacer la compra | 购物 | يتسوق |
| famille F | family | familia | 家庭 | أسرة |
| féminin | feminine | femenino | 女性的 | مؤنث |
| femme F | woman | mujer | 女人 | امرأة، سيدة |
| fenêtre F | window | ventana | 窗户 | نافذة |
| ferme F | farm | granja | 农场 | مزرعة |
| fermer | (to) close | cerrar | 关闭 | يغلق |
| feu M | traffic light | semáfaro | 红灯 | إشارة المرور |
| feuille F | sheet of paper | hoja | 纸张 | ورقة |
| février | February | febrero | 二月 | فبراير |
| fièvre F | fever | fiebre | 发热 | حُمى |
| film M | film | película | 电影 | فيلم |
| fils M | boy | hijo | 儿子 | ابن |
| fille F | girl | hija / chica | 女儿 | ابنة، بنت |
| fini M | finished | terminado | 结束的 | انتهى |
| finie F | finisehd | terminada | 结束的 | انتهت |
| finir | (to) finish | terminar | 结束 | ينهي |
| fleur F | flower | flor | 花卉 | زهرة |
| fleuve M | river | río | 河 | نهر |
| flore F | flora | flora | 植物 | نباتات |
| flûte F | flute | flauta | 长笛 | مزمار، ناي |
| fontaine F | fountain | fuente | 喷泉 | نافورة |
| football M | football | fútbol | 足球 | كرة القدم |
| forêt F | forest | bosque | 森林 | غابة |
| formalité F | formality | trámite | 手续 | إجراء |

| Français | Anglais | Espagnol | Chinois | Arabe |
|---|---|---|---|---|
| formulaire **M** | form | formulario | 表格 | نموذج |
| fourchette **F** | fork | tenedor | 餐叉 | شوكة |
| frais **M** | fresh | fresco | 新鲜的 | طازج |
| fraîche **F** | fresh | fresca | 新鲜的 | طازجة |
| fraise **F** | strawberry | fresa | 草莓 | فراولة |
| français **M** | French | francés | 法国男人 | فرنسي |
| française **F** | French | francesa | 法国女人 | فرنسية |
| France **F** | France | Francia | 法国 | فرنسا |
| frère **M** | brother | hermano | 兄弟 | أخ |
| frigo **M** | fridge | nevera | 冰箱 | ثلاجة |
| frites **F** | chips | patatas fritas | 炸薯条 | بطاطس مقلية |
| fromage **M** | cheese | queso | 奶酪 | جبن |
| frontière **F** | border | frontera | 边境 | حدود |
| fruit **M** | fruit | fruta | 水果 | فاكهة |
| futur **M** | future | futuro | 未来 | مستقبلي |
| future **F** | future | futura | 未来 | مستقبلية |
| gagner | (to) win | ganar | 赢 | يفوز |
| gant **M** | glove | guante | 手套 | قفاز |
| garage **M** | garage | garaje | 车库 | مرآب |
| garage automobile **M** | car garage | taller mecánico | 修车行 | مرآب لتصليح السيارات |
| garagiste **M F** | mechanic | mecánico, mecánica | 汽车修理工 | ميكانيكي، صاحب المرآب |
| garçon **M** | boy | chico | 男孩 | ولد |
| gare **M** | station | estación | 车站 | محطة قطار |
| garer | (to) park | aparcar | 停放 | ركَنَ السيارة |
| gâteau **M** | cake | tarta | 蛋糕 | حلوى |
| gauche **M F** | left | izquierda | 左边 | يسار |
| gel douche **M** | shower gel | gel de baño | 沐浴露 | سائل استحمام |
| génial **M** | great | genial | 好极了 | عبقري |
| géniale **F** | great | genial | 好极了 | عبقرية |
| gentil **M** | kind | amable | 温柔的 | لطيف |
| gentille **F** | kind | amable | 温柔的 | لطيفة |
| géographie **F** | geography | geografía | 地理 | جغرافيا |
| gîte **M** | holiday cottage | casa rural | 宿营地 | مأوى، مبيت |
| glace **F** | ice cream | helado | 冰淇淋 | جيلاتي، بوظة |
| goûter [le verbe] | (to) taste | probar | 品尝 | يتذوق |
| goûter **M** | snack | merienda | 零食 | وجبة خفيفة |
| grammaire **F** | grammar | gramática | 语法 | قواعد اللغة، علم القواعد |
| gramme **M** | gram | gramo | 克 | جرام<br>، جرامات |
| grand **M** | tall | grande | 高大的 | كبير |
| grande **F** | tall | grande | 高大的 | كبيرة |
| grand-père **M** | grandfather | abuelo | 祖父，外祖父 | الجد |
| grand-mère **F** | grandmother | abuela | 祖母，外祖母 | الجدة |
| grands-parents **M** | grandparents | abuelos | 祖父母，外祖父母 | الأجداد |
| grève **F** | strike | huelga | 罢工 | إضراب |
| grippe **F** | flu | gripe | 流感 | الإنفلونزا |
| gris **M** | grey | gris | 阴沉的 | رمادي |
| grise **F** | grey | gris | 阴沉的 | رمادية |
| gros **M** | big | gordo | 粗壮的 | سمين |
| grosse **F** | big | gorda | 粗壮的 | سمينة |
| groupe **M** | group | grupo | 群 | مجموعة |
| gruyère **M** | gruyère | queso gruyère | 格鲁耶尔干酪 | جروبير، جبن سويسري |
| guitare **F** | guitar | guitarra | 吉他 | جيتار |
| habiter | (to) live | vivir | 居住 | يسكن |
| habitude **F** | habit | costumbre | 习惯 | عادة |
| haricot vert **M** | green bean | judía verde | 青豆 | فاصوليا خضراء |
| heure **F** | hour | hora | 小时 | ساعة |

| Français | Anglais | Espagnol | Chinois | Arabe |
|---|---|---|---|---|
| heureux **M** | happy | feliz | 快乐的 | سعيد |
| heureuse **F** | happy | feliz | 快乐的 | سعيدة |
| hifi **F** | stereo | alta fidelidad, hi-fi | 高保真音响 | جهاز ستريو |
| histoire **F** | history | historia | 历史 | التاريخ |
| hiver **M** | winter | invierno | 冬天 | شتاء |
| homme **M** | man | hombre | 男人 | رجل |
| hôpital **M** | hospital | hospital | 医院 | مستشفى |
| hôtel **M** | hotel | hotel | 酒店 | فندق |
| hygiène **F** | hygiene | higiene | 卫生 | نظافة |
| ici | here | aquí | 这里 | هنا |
| il fait beau | it's a nice day | hace buen tiempo | 天气晴朗 | الطقس جميل |
| il fait chaud | it's hot | hace calor | 天气热 | الطقس حار |
| il fait froid | it's cold | hace frío | 天气冷 | الطقس بارد |
| il fait mauvais | the weather is bad | hace mal tiempo | 天气不好 | الطقس رديء |
| il faut | (to) have to | hay que | 必须 | يجب |
| il pleut | it's raining | llueve | 下雨 | السماء تمطر |
| important **M** | important | importante | 重要的 | هام |
| importante **F** | important | importante | 重要的 | هامة |
| industrie **F** | industry | industria | 工业 | صناعة |
| infirmier **M** | nurse | enfermero | 男护士 | ممرض |
| infirmière **F** | nurse | enfermera | 女护士 | ممرضة |
| information **F** | information | información | 信息 | معلومة |
| inscription **F** | registration | inscripción | 注册 | القيد |
| instrument **M** | instrument | instrumento | 乐器 | آلة |
| intelligent **M** | intelligent | inteligente | 聪明的 | ذكي |
| intelligente **F** | intelligent | inteligente | 聪明的 | ذكية |
| internet **M** | internet | internet | 互联网 | إنترنت |
| intrus **M** | odd one out | intruso | 不速之客 | كلمة دخيلة |
| italien **M** | Italian | italiano | 意大利男人 | إيطالي |
| italienne **F** | Italian | italiana | 意大利女人 | إيطالية |
| jambe **F** | leg | pierna | 小腿 | ساق |
| janvier | January | enero | 一月 | يناير |
| Japon **M** | Japan | Japón | 日本 | اليابان |
| japonais **M** | Japanese | japonés | 日本男人 | ياباني |
| japonaise **F** | Japanese | japonesa | 日本女人 | يابانية |
| jardin **M** | garden | jardín | 花园 | حديقة |
| je dois | I must | tengo que | 我必须 | يجب عليّ |
| je sais | I know | sé | 我知道 | أعرف |
| jean **M** | jeans | vaquero | 牛仔裤 | جينز |
| jeudi **M** | Thursday | jueves | 星期四 | الخميس |
| jeune **M F** | young | joven | 年轻人 | شاب، شابة |
| joli **M** | pretty | bonito | 好看的 | جميل |
| jolie **F** | pretty | bonita | 好看的 | جميلة |
| jouer | (to) play | jugar | 玩耍 | يلعب |
| jouer une scène | (to) act out a scene, act out a role play | interpretar una escena | 表演一个场景 | يمثل مشهد |
| jour **M** | day | día | 天 | يوم |
| journaliste **F M** | journalist | periodista | 记者 | صحفي |
| journée **F** | day | día | 白天 | نهار |
| judo **M** | judo | judo | 柔道 | الجودو |
| juillet | July | julio | 七月 | يوليو |
| juin | June | junio | 六月 | يونيو |
| jupe **F** | skirt | falda | 裙子 | تنورة، جونلة |
| jus de fruits **M** | fruit juice | zumo de fruta | 果汁 | عصير فاكهة |
| juste | just | solamente | 只 | فحسب، فقط |
| juste à côté | right next to | justo al lado | 附近 | على الجانب بالضبط |

| Français | Anglais | Espagnol | Chinois | Arabe |
|---|---|---|---|---|
| justice F | court | justicia | 司法部门 | عدالة |
| kilo M | kilo | kilo | 公斤 | كيلو |
| laboratoire d'analyses M | testing laboratory | laboratorio de análisis | 分析实验室 | معمل تحاليل |
| laid M | ugly | feo | 难看的 | قبيح |
| laide F | ugly | fea | 难看的 | قبيح |
| lait M | milk | leche | 牛奶 | حليب، لبن |
| langue étrangère F | foreign language | lengua extranjera | 外语 | لغة أجنبية |
| lapin M | rabbit | conejo | 兔 | أرنب |
| lavabo M | sink | lavabo | 盥洗室 | حوض الغسل، مغسلة |
| leçon F | lesson | lección | 课 | درس |
| lecture F | reading | lectura | 阅读 | قراءة |
| légume M | vegetable | verdura | 蔬菜 | خضار |
| lequel M | which | cuál | 哪个 | أيّ |
| lettre F | letter | letra, carta | 字母，信件 | حرف، خطاب |
| Liban M | Lebanon | Líbano | 黎巴嫩 | لبنان |
| libanais M | Lebanese | libanés | 黎巴嫩男人 | لبناني |
| libanaise F | Lebanese | libanesa | 黎巴嫩女人 | لبنانية |
| libre M F | free | libre | 自由的；空闲的 | حر، حرة |
| lieu M | place | lugar | 地点 | مكان |
| lieu de naissance M | place of birth | lugar de nacimiento | 出生地 | مكان الميلاد |
| lieu religieux M | religious site | lugar de culto | 宗教场所 | مكان ديني |
| lieux administratifs M | administrative centres | centros administrativos | 行政场所 | أماكن إدارية |
| liker | (to) like | dar a «Me gusta» | 点赞 | يعطي إعجاب (لايك) |
| lion M | lion | león | 狮子 | أسد |
| lire | (to) read | leer | 阅读 | يقرأ |
| lit M | bed | cama | 床 | سرير |
| lit double M | double bed | cama doble | 双人床 | سرير لشخصين |
| lit simple M | single bed | cama individual | 单人床 | سرير لشخص واحد |
| livre M | book | libro | 书 | كتاب |
| locataire M F | tenant | inquilino | 房客 | مُستأجر، مُستأجرة |
| location F | tenancy | alquiler | 出租 | استئجار |
| logement M | housing, accommodation | vivienda | 住宅 | مسكن |
| louer | to rent | alquilar | 出租 | يستأجر |
| lundi M | monday | lunes | 星期一 | الاثنين |
| lunettes F | glasses | gafas | 眼镜 | نظارة |
| lycée M | college | instituto | 高中 | مدرسة ثانوية، ليسيه |
| maçon M | bricklayer | albañil | 男泥瓦匠 | عامل بناء، بناء |
| maçonne F | bricklayer | albañil | 女泥瓦匠 | عاملة بناء |
| madame F | mrs | señora | 女士 | سيدة |
| mademoiselle F | miss | señorita | 小姐 | آنسة |
| magasin M | shop | tienda | 商店 | متجر، محل |
| magnifique M F | magnificent | magnífico | 宏伟的 | رائع |
| mai | May | mayo | 五月 | مايو |
| maigre M F | thin | delgado, delgada | 瘦的 | نحيف |
| main F | hand | mano | 手 | يد |
| maintenant | now | ahora | 现在 | الآن |
| mairie F | town hall | ayuntamiento | 市政府 | دار البلدية |
| mais | but | pero | 但是 | لكن |
| maïs M | corn | maíz | 玉米 | ذرة |
| maison F | house | casa | 房屋 | منزل |
| maître M | teacher | maestro | 男教师； | مُعلم |
| maîtresse F | teacher | maestra | 女教 | مُعلمة |
| maladie F | illness | enfermedad | 疾病 | مرض |
| malheureux M | unhappy | triste | 不愉快的 | تعيس |
| malheureuse F | unhappy | triste | 不愉快的 | تعيسة |
| maman F | mum | mamá | 妈妈 | أم، ماما |
| manger | (to) eat | comer | 吃 | يأكل |
| manteau M | coat | abrigo | 外套 | معطف |
| marche F | walk | caminata | 步行 | المشي |

| Français | Anglais | Espagnol | Chinois | Arabe |
|---|---|---|---|---|
| marché M | market | mercado | 市场 | سوق |
| marcher | (to) work | funcionar | 运行 | يمشي |
| mardi M | Tuesday | martes | 星期二 | الثلاثاء |
| mari M | husband | marido | 丈夫 | زوج |
| mariage M | marriage, wedding | matrimonio | 婚姻 | زواج |
| marié M | groom | casado / novio | 新郎 | متزوج |
| mariée F | bride | casada / novia | 新娘 | متزوجة |
| Maroc M | Morocco | Marruecos | 摩洛哥 | المغرب |
| marocain M | Moroccan | marroquí | 摩洛哥男人 | مغربي |
| marocaine F | Moroccan | marroquí | 摩洛哥女人 | مغربية |
| mars | March | marzo | 三月 | مارس |
| masculin | masculine | masculino | 有男子气的 | مذكر |
| match M | match | partido | 比赛 | مباراة |
| matériel M | supply | material | 资料 | معدات |
| maternelle F | nursery school | parvulario | 幼儿园 | الحضانة |
| maternité F | maternity | maternidad | 产科 | قسم الولادة، أمومة |
| mathématiques M | mathematics | matemáticas | 数学 | الرياضيات |
| matière F | subject | asignatura | 学科 | مادة |
| matin M | morning | mañana | 早晨 | صباح |
| mauvais M | bad | malo | 错误的 | رديء |
| mauvaise F | bad | mala | 错误的 | رديئة |
| méchant M | naughty | malo, cruel | 淘气的 | شرير |
| méchante F | naughty | mala, cruel | 淘气的 | شريرة |
| médecin M F | doctor | médico, médica | 医生 | طبيب، طبيبة |
| médicament M | medicine | medicamento | 药物 | دواء |
| mél M | email | correo electrónico | 电子邮件 | بريد إلكتروني |
| melon M | melon | melón | 甜瓜 | شمام |
| membre de la famille M | family member | familiar | 家庭成员 | عضو في الأسرة |
| menu M | menu | menú | 菜单 | قائمة الطعام |
| mer F | sea | mar | 海边 | بحر |
| merci | thank you | gracias | 谢谢 | شكرًا |
| mercredi M | Wednesday | miércoles | 星期三 | الأربعاء |
| mère F | mother | madre | 母亲 | أم |
| message M | message | mensaje | 消息 | رسالة |
| mesurer | (to) measure | medir | 测量 | يقيس |
| métier M | occupation | profesión | 职业 | مهنة |
| mètre M | metre | metro | 米 | متر |
| métro M | metro | metro | 地铁 | مترو |
| meuble M | furniture | mueble | 家具 | أثاث |
| midi M | midday | mediodía | 中午 | الظهر |
| mieux | better | mejor | 更好地 | أفضل |
| mimer | (to) mime | imitar | 以动作和表情来表达 | يومئ، يقلد |
| mince M F | thin | delgado, delgada | 苗条的 | نحيف، نحيفة |
| minute F | minute | minuto | 分钟 | دقيقة |
| mobilier M | furniture | mobiliario | 成套家具 | الأثاث |
| moi | me | yo, mí | 我 | أنا |
| moins | less | menos | 较少的 | أقل |
| mois M | month | mes | 月，月份 | شهر |
| moment M | minute | momento | 时刻 | لحظة |
| monsieur M | mr | señor | 先生 | السيد |
| montagne F | mountain | montaña | 山 | جبل |
| monter | (to) go up [the stairs] / (to) put up [the tent] | subir (las escaleras) / montar (una tienda de campaña) | 登上 / 装配 | يصعد<br>يُركب |
| montre F | watch | reloj | 手表 | ساعة |
| montrer | (to) show | mostrar | 指示 | يشير |

| Français | Anglais | Espagnol | Chinois | Arabe |
|---|---|---|---|---|
| moral M | moral | de personalidad | 道德 | خلقي |
| morale F | moral | de personalidad | 道德 | خلقية |
| mort M | dead | muerto | 逝者 | ميت |
| morte F | dead | muerta | 逝者 | ميتة |
| mosquée F | mosque | mezquita | 清真寺 | مسجد |
| moto F | motorbike | moto | 摩托车 | موتوسيكل، دراجة نارية |
| mouton M | sheep | carnero | 绵羊 | خروف |
| musicien M | musician | músico | 男音乐家 | موسيقي، عازف موسيقى |
| musicienne F | musician | músico | 女音乐家 | موسيقية، عازفة موسيقى |
| musique F | music | música | 音乐 | الموسيقى |
| nager | (to) swim | nadar | 游泳 | يعوم، يسبح |
| naissance F | birth | nacimiento | 出生 | ميلاد |
| naître | (to) be born | nacer | 出生于 | يولد |
| natation F | swimming | natación | 游泳 | سباحة |
| nationalité F | nationality | nacionalidad | 国籍 | جنسية (شخص) |
| négatif M | negative | negativo | 消极的 | سلبي |
| négative F | negative | negativa | 消极的 | سلبية |
| neige F | snow | nieve | 雪 | جليد |
| nez M | nose | nariz | 鼻 | أنف |
| Nigéria M | Nigeria | Nigeria | 尼日利亚 | نيجيريا |
| nigérian M | Nigerian | nigeriano | 尼日利亚男人 | نيجيري |
| nigériane F | Nigerian | nigeriana | 尼日利亚女人 | نيجيرية |
| noir M | black | negro | 黑色的 | أسود |
| noire F | black | negra | 黑色的 | سوداء |
| nom M | name | apellido | 名字 | اسم |
| nom de famille M | surname | apellido | 姓氏 | الاسم الأخير، اسم العائلة |
| nombre M | number | número | 数目 | عدد |
| note F | mark | nota | 分数 | درجة |
| nouveau M | new | nuevo | 新的 | جديد |
| nouvel M | new | nuevo | 新的 | جديد |
| nouvelle F | new | nueva | 新的 | جديدة |
| novembre | November | noviembre | 十一月 | نوفمبر |
| nuage M | cloud | nube | 云 | سحابة |
| nuit F | night | noche | 夜晚 | ليل |
| numérique M | digital | digital | 数字的 | رقمي |
| numéro M | number | número | 号码 | رقم |
| numéro de téléphone M | phone number | número de teléfono | 电话号码 | رقم الهاتف |
| numéro d'urgence M | emergency number | número de emergencias | 紧急号码 | رقم الطوارئ |
| octobre | October | octubre | 十月 | أكتوبر |
| odeur F | smell | olor | 气味 | رائحة |
| œil M | eye | ojo | 眼睛 | عين |
| œuf M | egg | huevo | 蛋 | بيضة |
| officiel M | official | oficial | 正式的 | رسمي |
| officielle F | official | oficial | 正式的 | رسمية |
| oiseau M | bird | pájaro | 鸟 | عصفور |
| opération F | operation | operación | 手术 | عملية |
| orange F | orange | naranja | 桔子 | برتقالة |
| ordinateur M | computer | ordenador | 电脑 | كمبيوتر، حاسوب |
| ordinateur portable M | laptop | ordenador portátil | 笔记本电脑 | كمبيوتر محمول |
| ordonnance F | prescription | receta | 处方 | وصفة طبية، روشتة الطبيب |
| oreille F | ear | oreja | 耳朵 | أذن |
| origine F | origin | origen | 来源 | أصل، منشأ |
| otite F | earache | otitis | 耳炎 | التهاب الأذن |
| oublier | (to) forget | olvidar | 忘记 | ينسى |
| ouvrier M | worker | obrero | 工人 | عامل |
| ouvrière F | worker | obrera | 工人 | عاملة |
| ouvrir | (to) open | abrir | 打开 | يفتح |
| paiement M | payment | pago | 付款 | دفع |

| Français | Anglais | Espagnol | Chinois | Arabe |
|---|---|---|---|---|
| pain **M** | bread | pan | 面包 | خبز |
| pamplemousse **M** | grapefruit | pomelo | 葡萄柚 | ليمون هندي |
| pantalon **M** | trousers | pantalón | 长裤 | بنطلون |
| papa **M** | dad | papá | 爸爸 | أبي، بابا |
| papier **M** | paper | papel | 纸 | ورق |
| parapluie **M** | umbrella | paraguas | 雨伞 | شمسية، مظلة |
| parc **M** | park | parque | 公园 | حديقة عامة |
| parent **M** | parent | padre | 父母 | قريب، أحد الوالدين |
| parfait **M** | perfect | perfecto | 理想的，完美的 | رائع |
| parfaite **F** | perfect | perfecta | 理想的，完美的 | رائعة |
| parfois | sometimes | a veces | 偶尔 | أحيانا |
| parfum **M** | perfume | perfume | 芳香 | عطر |
| parking **M** | car park | aparcamiento | 停车场 | موقف سيارات |
| parler | (to) speak | hablar | 谈论 | يتحدث |
| partie de la maison **F** | part of the house | partes de la casa | 房屋构成 | أجزاء المنزل |
| partir | (to) leave / go | irse | 起程 | يرحل |
| passeport **M** | passport | pasaporte | 护照 | جواز سفر |
| passer | (to) cross / (to) stop at | pasar / ir | 穿过， 经过 | يعبر، يمر على |
| pâtes **F** | pasta | pasta | 意大利面 | مكرونة |
| payer | (to) pay | pagar | 支付 | يدفع |
| pays **M** | country | país | 国家 | بلد، دولة |
| paysage **M** | landscape | paisaje | 风景 | منظر طبيعي |
| peau **F** | skin | piel | 皮肤 | الجلد |
| pêche **F** | peach | melocotón | 钓鱼 | خوخ |
| peigne **M** | comb | peine | 梳子 | مشط |
| pendant | for, during | durante | 在...期间 | أثناء |
| perdre | (to) lose | perder | 遗失 | يخسر |
| père **M** | father | padre | 父亲 | أب |
| permis de conduire **M** | driving licence | permiso de conducir | 驾照 | رخصة القيادة |
| permis de séjour **M** | residency permit | permiso de residencia | 居留许可 | تصريح الإقامة |
| personne **F** | person | persona | 人 | شخص |
| peser | (to) weigh | pesar | 称重 | يزن |
| petit **M** | small | pequeño | 矮小的 | صغير |
| petite **F** | small | pequeña | 矮小的 | صغيرة |
| petit déjeuner **M** | breakfast | desayuno | 早餐 | الإفطار |
| petite cuillère **F** | teaspoon | cucharilla | 小匙 | ملعقة صغيرة |
| petit-fils **M** | grandson | nieto | 孙子，外孙； | حفيد |
| petite-fille **F** | granddaughter | nieta | 孙女，外孙女 | حفيدة |
| pharmacie **F** | pharmacy | farmacia | 药店 | صيدلية |
| pharmacien **M** | pharmacist | farmacéutico | 男药剂师 | طبيب صيدلي |
| pharmacienne **F** | pharmacist | farmacéutica | 女药剂师 | طبيبة صيدلية |
| photo **F** | photo | fotografía | 照片 | صورة |
| physique **F** [la science] | physics | física | 物理 [科学] | الفيزياء |
| physique **M F** [l'adjectif] | physical | físico | 身体 | جسماني، جسمانية |
| piano **M** | piano | piano | 钢琴 | بيانو |
| pièce **F** | room / play | habitación / obra | 一个房间 / 一出戏剧 | غرفة، مسرحية |
| pièce d'identité **F** | proof of identity | documento de identidad | 身份证件 | بطاقة الهوية |
| pied **M** | foot | pie | 脚 | قدم |
| ping-pong **M** | table tennis | tenis de mesa | 乒乓球 | كرة الطاولة، بينج بونج |
| piscine **F** | swimming pool | piscina | 游泳池 | حمام سباحة |
| pizza **F** | pizza | pizza | 比萨饼 | بيتزا |
| placard **M** | cupboard | alacena | 橱柜 | خزانة |
| place **F** | place, seat | plaza | 广场，座位 | ميدان، مكان |
| plat **M** | dish / plate | plato | 主菜；餐盘 | صنف، طبق |
| plat du jour **M** | daily special | plato del día | 今日特色菜 | طبق اليوم |

| Français | Anglais | Espagnol | Chinois | Arabe |
| --- | --- | --- | --- | --- |
| pleuvoir | (to) rain | llover | 下雨 | تمطر |
| pluie F | rain | lluvia | 雨 | مطر |
| poire F | pear | pera | 梨 | كمثرى |
| poisson M | fish | pescado | 鱼肉 | سمك |
| poissonnier M | fishmonger | pescadero | 男鱼贩 | بائع السمك |
| poissonnière F | fishmonger | pescadera | 女鱼贩 | بائعة السمك |
| poivre M | pepper | pimienta | 胡椒 | فلفل أسود |
| police F | police | policía | 警察 | شرطة |
| politesse F | politeness | cortesía | 礼貌 | أدب، تهذب |
| pomme F | apple | manzana | 苹果 | تفاحة |
| pomme de terre F | potato | patata | 土豆 | بطاطس |
| pompier M | firefighter | bombero | 消防队员 | إطفائي |
| pont M | bridge | puente | 桥 | كوبري |
| porc M | pig | cerdo | 猪 | خنزير |
| port M | port | puerto | 港口 | ميناء |
| porte F | door | puerta | 门 | باب |
| porte d'embarquement F | departure gate | puerta de embarque | 登机门 | بوابة المغادرة |
| porter | (to) bring / carry | llevar | 携带 | يرتدي، يحمل |
| positif M | positive | positivo | 积极的 | إيجابي |
| positive F | positive | positiva | 积极的 | إيجابية |
| possible M F | possible | posible | 可能的 | ممكن، ممكنة |
| poste F | post | oficina de correos | 邮局 | مكتب البريد |
| poster | (to) post | enviar por correo | 邮寄 | يرسل بالبريد |
| poule F | hen | gallina | 母鸡 | دجاجة |
| poulet M | chicken | pollo | 鸡肉 | فروج |
| pouvoir | (to) be able | poder | 能，会 | يستطيع |
| préfecture F | administrative centre | prefectura | 省，州 | مقر المحافظ، مقر الولاية |
| préféré M | favourite | favorito | 最喜欢的人/事 | المفضل |
| préférée F | favourite | favorita | 最喜欢的人/事 | المفضلة |
| préférer | (to) prefer | preferir | 更喜欢 | يفضل |
| premier M | first | primero | 第一的 | أول |
| première F | first | primera | 第一的 | أولى |
| prendre | (to) take | coger, tomar | 拿 | يأخذ |
| prendre un bain | (to) have a bath | darse un baño | 洗澡 | يأخذ حمام |
| prendre un menu | (to) take a menu | tomar un menú | 拿菜单 | يختار من قائمة الطعام |
| prendre une douche | (to) have a shower | darse una ducha | 冲澡 | يأخذ دش |
| prénom M | first name | nombre | 名字 | اسم الشخص، الاسم الأول |
| préparer | (to) prepare | preparar | 准备 | يجهز |
| près d'ici | near | cerca de aquí | 在这附近 | قريب من هنا |
| primaire | primary | primaria | 小学 | ابتدائي |
| printemps M | spring | primavera | 春天 | الربيع |
| prix M | price | precio | 价格 | سعر، ثمن |
| problème M | problem | problema | 问题 | مسألة، مشكلة |
| prochain M | next | próximo, siguiente | 下一个的 | قادم |
| prochaine F | next | próxima, siguiente | 下一个的 | قادمة |
| produit laitier M | dairy product | producto lácteo | 乳制品 | منتج ألبان |
| professeur M | teacher | profesor | 男教授 | معلم |
| professeure F | teacher | profesora | 女教授 | معلمة |
| professeur des écoles M | school teacher | maestro | 男小学教师 | معلم مدرسة |
| professeure des écoles F | school teacher | maestra | 女小学教师 | معلمة مدرسة |
| profession F | profession | profesión | 行业 | مهنة |
| professions de la santé F | healthcare professionals | profesiones sanitarias | 卫生保健行业 | مهن صحية، مهن طبية |
| prononcer | (to) pronounce | pronunciar | 宣布，宣读 | ينطق |
| proposer | (to) suggest | proponer, ofrecer | 建议 | يقترح |
| propre M F | clean | limpio, limpia | 干净的 | نظيف، نظيفة |
| public M | public | público | 公共的 | عام |
| publique F | public | pública | 公共的 | عامة |
| pull M | jumper | jersey | 套衫 | بلوفر، رداء من الصوف |

| Français | Anglais | Espagnol | Chinois | Arabe |
|---|---|---|---|---|
| quai M | platform | andén | 站台 | رصيف |
| quart M | quarter | cuarto | 一刻 | ربع |
| quartier M | neighbourhood | barrio | 居民区 | حي |
| quatre | four | cuatro | 四 | أربعة |
| quatrième M F | fourth | cuarto, cuarta | 第四 | رابع، رابعة |
| quel M, quelle F | what / which / who | qué / cuál / quién | 哪一个 / 怎么样 | ما، أي |
| quelque chose M | something | algo | 某物，某事 | شيء ما |
| quotidien M | daily | diario | 每天的 | يومي |
| quotidienne F | daily | diaria | 每天的 | يومية |
| radiateur M | radiator | radiador | 散热器 | جهاز تدفئة |
| radio F | radio | radiografía / radio | 射线透视检查 / 收音机 | أشعة، جهاز الراديو |
| radiologie F | radiology | radiología | 放射学 | طب إشعاعي |
| radiologue M F | radiologist | radiólogo, radióloga | 放射科医生 | طبيب أشعة، طبيبة أشعة |
| radis M | radish | rábano | 小红萝卜 | فجل |
| rasoir M | razor | cuchilla de afeitar | 剃须刀 | آلة حلاقة |
| réception F | reception | recepción | 接待处 | استقبال |
| recevoir | (to) receive | recibir | 接收 | يستقبل |
| reconstituer | rebuild | reconstruir | 恢复原状 | يعيد تشكيل |
| réfrigérateur M | refrigerator | refrigerador, frigorífico | 冰箱 | ثلاجة |
| refuser | (to) refuse | rechazar | 拒绝 | يرفض |
| regarder | (to) look | mirar, ver | 观看 | يشاهد |
| remplir un formulaire | (to) fill in a form | rellenar un formulario | 填写表格 | يملأ نموذج |
| rencontre F | meeting | encuentro | 遇见 | لقاء |
| rendez-vous M | meeting | cita, quedar | 约会 | موعد |
| rentrer | (to) return | regresar | 返回 | يرجع، يعود |
| repas M | meal | comida | 饮食 | وجبة |
| répéter | (to) repeat | repetir | 重复 | يكرر |
| répondre | (to) reply | responder | 回答 | يجيب |
| réseaux sociaux M | social networks | redes sociales | 社交网络 | شبكات التواصل الاجتماعي |
| réserver | (to) make a reservation / booking | reservar | 预订 | يحجز |
| réserver une table | (to) book a table | reservar una mesa | 预订餐位 | يحجز مائدة |
| ressembler | (to) resemble | parecerse a | 和...相像 | يُشبه |
| restaurant M | restaurant | restaurante | 饭店 | مطعم |
| retard M | late | tarde, con retraso | 迟到 | تأخر |
| retour M | return | vuelta | 回程 | عودة |
| revenir | (to) come back | volver | 返回 | يعود |
| rhume F | cold | resfriado | 感冒 | زكام |
| rivière F | river | río | 河 | نهر |
| riz M | rice | arroz | 米饭 | أرز |
| rock M | rock | rock | 摇滚乐 | موسيقى الروك |
| rose F | rose | rosa | 玫瑰花 | وردة |
| rouge M F | red | rojo, roja | 红色的 | أحمر، حمراء |
| route F | road | carretera | 路 | طريق |
| roux M | ginger | pelirrojo | 红棕色的 | أصهب |
| rousse F | ginger | pelirroja | 红棕色的 | صهباء |
| rue F | street | calle | 街道 | شارع |
| rugby M | rugby | rugby | 橄榄球 | الرجبي |
| russe M F | Russian | ruso, rusa | 俄罗斯男人；俄罗斯女人 | روسي، روسية |
| Russie F | Russia | Rusia | 俄罗斯 | روسيا |
| sac M | bag | bolsa | 袋 | حقيبة، كيس |
| sac à main M | handbag | bolso de mano | 手袋 | حقيبة يد |
| saison F | season | estación | 季节 | موسم |
| salade F | salad | ensalada | 沙拉 | سلطة |
| salade de tomates F | tomato salad | ensalada de tomate | 番茄沙拉 | سلطة طماطم |

| Français | Anglais | Espagnol | Chinois | Arabe |
|---|---|---|---|---|
| sale **M F** | dirty | sucio, sucia | 脏的 | قذر، قذرة |
| salé **M** | salty | salado | 咸的 | مالح |
| salée **F** | salty | salada | 咸的 | مالحة |
| salle **F** | room | aula, sala | 室 | قاعة |
| salle à manger **F** | dining room | comedor | 饭厅 | قاعة الطعام |
| salle de bains **F** | bathroom | cuarto de baño | 浴室 | الحمام |
| salon **M** | living room | salón | 客厅 | صالون |
| salut | hi | hola | 招呼 | سلام، تحية |
| samedi **M** | Saturday | sábado | 星期六 | السبت |
| sandwich **M** | sandwich | sándwich, bocadillo | 三明治 | ساندوتش |
| santé **F** | health | salud | 健康 | صحة |
| saoudien **M** | Saudi | saudí | 沙特阿拉伯男人 | سعودي |
| saoudienne **F** | Saudi | saudí | 沙特阿拉伯女人 | سعودية |
| s'appeler | (to) be called | llamarse | 名叫 | يُدعى، يُسمى |
| s'arrêter | (to) stop | dejar de, parar | 停止 | يتوقف |
| s'asseoir | (to) sit down | sentarse | 坐下 | يجلس |
| satisfait **M** | satisfied | satisfecho | 满意的 | راضٍ |
| satisfaite **F** | satisfied | satisfecha | 满意的 | راضيَة |
| saumon **M** | salmon | salmón | 三文鱼 | سلمون |
| savoir | (to) know | saber | 知道 | يعرف |
| savon **M** | soap | jabón | 肥皂 | صابون |
| sciences **F** | science | ciencias | 科学 | علوم |
| scolaire **M F** | academic | escolar | 教学的 | مدرسي، مدرسية |
| scooter **M** | scooter | escúter | 小轮摩托车 | سكوتر |
| se brosser les dents | (to) brush one's teeth | cepillarse los dientes | 刷牙 | يغسل أسنانه بالفرشاة |
| se coiffer | (to) style one's hair | peinarse | 梳头发 | يمشط شعره |
| se coucher | (to) go to bed | acostarse | 躺下 | ينام |
| se doucher | (to) shower | ducharse | 淋浴 | يأخذ حمامًا |
| se laver | (to) wash | lavarse | （给自己）洗 | يغتسل |
| se lever | (to) get up | levantarse | 起床 | ينهض |
| se marier | (to) get married | casarse | 结婚 | يتزوج |
| se présenter | (to) introduce yourself | presentarse | 自我介绍 | يقدم نفسه |
| se promener | (to) go for a walk | pasear | 散步 | يتنزه |
| se raser | (to) shave | afeitarse | 刮胡子 | يحلق شعره |
| se reposer | (to) rest | descansar | 休息 | يستريح |
| se réveiller | (to) wake up | despertarse | 醒来 | يستيقظ |
| se trouver | (to) be found / located | encontrarse | 位于 | يوجَد، يقع |
| secours **M** | help | servicio de emergencias | 帮助 | نجدة، غوث |
| secrétaire **F M** | secretary | secretario, secretaria | 秘书 | سكرتير، سكرتيرة |
| secteur **M** | sector | sector | 部门 | قطاع |
| sel **M** | salt | sal | 盐 | ملح |
| semaine **F** | week | semana | 一周 | أسبوع |
| sens **M** | sense | sentido | 感觉 | حاسة |
| sentir bon | (to) smell good | oler bien | 闻起来很好 | أصدر رائحة زكية |
| sentir mauvais | (to) smell bad | oler mal | 闻起来不好 | أصدر رائحة كريهة |
| séparer | (to) separate | separar | 分离 | يفصل |
| septembre | September | septiembre | 九月 | سبتمبر |
| serveur **M** | waiter | camarero **M** | 男服务员 | نادل |
| serveuse **F** | waitress | camarera **F** | 女服务员 | نادلة |
| serviette **F** | napkin | servilleta | 餐巾 | منشفة |
| servir | (to) serve | servir | 供应 | يخدم، يقدم للزبائن |
| seul **M** | alone | solo | 独自的 | بمفرده |
| seule **F** | alone | sola | 独自的 | بمفردها |
| seulement | only | solamente | 只 | فقط |
| sexe **M** | sex | sexo | 性别 | جنس |
| shampoing **M** | shampoo | champú | 洗发液 | شامبو |
| s'il te plaît | please (informal) | por favor (con tú) | 请你 | من فضلك |

| Français | Anglais | Espagnol | Chinois | Arabe |
|---|---|---|---|---|
| s'il vous plaît | please (formal) | por favor (con usted) | 请您 | من فضلك، من فضلك،من فضلكم |
| s'inscrire | (to) register | inscribirse | 报名参加 | يقيد اسمه |
| sirop M | cordial, syrup | sirope | 糖浆 | شراب |
| situation familiale F | family situation | situación familiar | 家庭情况 | الحالة العائلية |
| ski M | skiing | esquí | 滑雪 | تزلج |
| slip M | briefs, knickers | calzoncillos, braga | 三角裤 | سروال قصير |
| smartphone M | smartphone | smartphone | 智能手机 | هاتف ذكي، سمارت فون |
| sms M | text message | sms | 手机短信 | رسالة قصيرة |
| s'occuper de | (to) deal with | ocuparse de | 留意 | يهتم بـ، يعتني بـ |
| société F | company | sociedad, empresa | 公司 | شركة |
| sœur F | sister | hermana | 姐妹 | أخت |
| soir M | evening | noche | 傍晚 | مساء |
| soleil M | sun | sol | 太阳 | شمس |
| sortir | (to) go out | salir | 出去 | يخرج |
| soupe F | soup | sopa | 浓汤 | حساء |
| sous-vêtement M | underwear | ropa interior | 内衣 | ملابس داخلية |
| soutien-gorge M | bra | sujetador | 胸罩 | حمالة صدر |
| souvent | often | a menudo | 经常 | غالبا |
| sport M | sport | deporte | 运动 | رياضة |
| stade M | stadium | estadio | 体育场 | استاد |
| station F | station | estación | 站 | محطة |
| station-service F | service station | estación de servicio | 加油站 | محطة خدمة |
| steak M | steak | filete | 牛排 | شريحة لحم |
| stylo M | pen | bolígrafo | 钢笔 | قلم جاف |
| sucre M | sugar | azúcar | 糖 | سكر |
| sucré M | sweet | dulce | 甜的 | مُحلى |
| sucrée F | sweet | dulce | 甜的 | مُحلاة |
| suivre | (to) follow | seguir | 跟随 | يتابع، يتبع |
| super M F | super | genial | 很棒 | رائع، رائعة |
| supermarché M | supermarket | supermercado | 超市 | متجر كبير، سوبر ماركت |
| SVT F | earth and life sciences | ciencias naturales | 生命科学和地球科学 | علوم الحياة والأرض |
| sympathique M F | kind | simpático, simpática | 给人好感的 | لطيف، لطيفة |
| synagogue F | synagogue | sinagoga | 犹太教堂 | معبد لليهود |
| système M | system | sistema | 系统 | نظام |
| table F | table | mesa | 桌 | منضدة |
| table basse F | coffee table | mesa baja | 矮桌 | طاولة منخفضة |
| tablette F | tablet device | tableta | 平板电脑 | هاتف لوحي |
| tâche ménagère F | household chores | tareas domésticas | 家务 | عمل منزلي |
| tasse F | cup | taza | 杯子 | فنجان |
| taxi M | taxi | taxi | 出租车 | تاكسي |
| téléphone M | telephone | teléfono | 电话 | هاتف |
| téléphone portable M | mobile phone | teléfono móvil | 移动电话 | هاتف محمول |
| téléphoner | (to) call someone (on the phone) | llamar por teléfono | 打电话 | يتصل |
| télévision F | television | televisión | 电视 | تليفزيون |
| temple M | temple | templo | 寺庙 | معبد |
| temps M | weather | tiempo | 天气 | طقس، وقت |
| tennis M | tennis | tenis | 网球 | تنس |
| tente F | tent | tienda de campaña | 帐篷 | خيمة |
| terrain M | pitch | campo | 场地 | أرض ملعب |
| tête F | head | cabeza | 头 | رأس |
| thé M | tea | té | 茶 | شاي |
| théâtre M | theatre | teatro | 剧院 | مسرح |
| ticket M | ticket | billete | 票 | تذكرة |

| Français | Anglais | Espagnol | Chinois | Arabe |
|---|---|---|---|---|
| timbre M | stamp | sello | 邮票 | طابع بريد |
| timide M F | shy | tímido, tímida | 腼腆的 | خجول، خجولة |
| titre de séjour M | residency permit | documento de residencia | 居留证 | تصريح الإقامة |
| toilettes F | toilets | baños | 卫生间 | مرحاض |
| tôt | early | temprano | 早的 | مبكرًا |
| toucher | (to) touch | tocar | 触摸 | يلمس |
| toujours | always | siempre | 总是 | دائمًا |
| tourisme M | tourism | turismo | 旅游 | سياحة |
| tourner / prendre à droite | (to) turn right | girar a la derecha | 向右转 | يلف / يتجه نحو اليمين |
| tourner / prendre à gauche | (to) turn left | girar a la izquierda | 向左转 | يلف / يتجه نحو اليسار |
| tout | everything, all | todo | 所有 | كل |
| tout de suite | immediately | enseguida | 立即 | حالا، على الفور |
| train M | train | tren | 火车 | قطار |
| tramway M | tram | tranvía | 有轨电车 | ترام |
| transport M | transport | transporte | 交通 | مواصلات، نقل |
| travail M | job | trabajo | 工作 | عمل |
| travailler | (to) work | trabajar | 工作 | يعمل |
| traverser | (to) cross | cruzar | 横穿 | يعبر |
| très | very | muy | 非常 | جدا |
| tribunal M | court | tribunal | 法庭 | محكمة |
| triste M F | sad | triste | 伤心的 | حزين، حزينة |
| trompette F | trumpet | trompeta | 小号 | بوق |
| trop | too | demasiado, demasiada | 过于 | أكثر من اللازم |
| T-shirt M | T-shirt | camiseta | T恤 | تي شيرت |
| turc M | Turkish | turco | 土耳其男人 | تركي |
| turque F | Turkish | turca | 土耳其女人 | تركية |
| Turquie F | Turkey | Turquía | 土耳其 | تركيا |
| université F | university | universidad | 大学 | جامعة |
| urgences F | emergency department | urgencias | 急诊 | الطوارئ |
| usine F | factory | fábrica | 工厂 | مصنع |
| utiliser | (to) use | usar | 利用 | يستخدم |
| vacances F | holidays | vacaciones | 休假 | اجازة، عُطلة |
| vache F | cow | vaca | 母牛 | بقرة |
| valable M F | valid | válido, válida | 有效的 | ساري |
| valise F | suitcase | maleta | 手提箱 | حقيبة |
| varicelle F | chickenpox | varicela | 水痘 | جدري الماء |
| végétal M | plant | vegetal | 植物的 | نباتي |
| végétale F | plant | vegetal | 植物的 | نباتية |
| vélo M | bike | bicicleta | 自行车 | دراجة |
| vendeur M | salesman | vendedor | 售货员 | بائع |
| vendeuse F | saleswoman | vendedora | 售货员 | بائعة |
| vendredi M | Friday | viernes | 星期五 | الأربعاء |
| venir | (to) come | venir | 来 | يأتي |
| vent M | wind | viento | 风 | رياح |
| ventre M | stomach | estómago | 腹 | بطن |
| verre M | glass | vaso | 玻璃杯 | زجاج |
| veste F | jacket | chaqueta | 上衣 | سترة |
| vêtement M | clothing | ropa, prenda | 服装 | ملابس |
| veuf M | widower | viudo | 鳏夫 | أرمل |
| veuve F | widow | viuda | 寡妇 | أرملة |
| viande F | meat | carne | 肉类 | لحم |
| vie F | life | vida | 生活 | حياة |
| Vietnam M | Vietnam | Vietnam | 越南 | فيتنام |
| vietnamien M | Vietnamese | vietnamita | 越南男人 | فيتنامي |
| vietnamienne F | Vietnamese | vietnamita | 越南女人 | فيتنامية |
| village M | village | pueblo | 村庄 | قرية |

| Français | Anglais | Espagnol | Chinois | Arabe |
|---|---|---|---|---|
| ville **F** | city, town | ciudad | 城市 | مدينة |
| vin **M** | wine | vino | 葡萄酒 | نبيذ، خمر |
| vin blanc **M** | white wine | vino blanco | 白葡萄酒 | نبيذ أبيض |
| vin rouge **M** | red wine | vino tinto | 红葡萄酒 | نبيذ أحمر |
| violon **M** | violin | violín | 小提琴 | آلة الكمان |
| visa **M** | visa | visado | 签证 | تأشيرة |
| visage **M** | face | cara | 脸 | وجه |
| visiter | (to) visit | visitar | 参观 | يزور |
| vitrine **F** | shop window | escaparate | 橱窗 | واجهة زجاجية |
| vivre | (to) live | vivir | 生活 | يعيش، يحيا |
| voie **F** | route | vía | 道路；路线 | طريق، سكة |
| voilà | There you go!, here | ahí está | 给你 | ها هو، ها هي |
| voir | (to) see | ver | 看见 | يرى |
| voisin **M** | neighbour | vecino | 邻近的 | جار |
| voisine **F** | neighbour | vecina | 邻近的 | جارة |
| voiture **F** | car | coche | 车辆 | سيارة |
| vouloir | (to) want | querer | 想要 | يريد |
| voyage **M** | journey | viaje | 旅行 | سفر، رحلة |
| voyager | (to) travel | viajar | 旅行 | يسافر |
| vrai **M** | true | verdadero | 真正的 | صحيح |
| vraie **F** | true | verdadera | 真正的 | صحيحة |
| vraiment | really | realmente | 真正地 | حقًا |
| yaourt **M** | yoghurt | yogurt | 酸奶 | زبادي |
| yeux **M** | eyes | ojos | 眼睛 | العينين |
| zoo **M** | zoo | zoo | 动物园 | حديقة حيوان |

# Sommaire plurilingue

# Table of contents

HOME



TRANSPORT



TRAVEL



FOOD AND RESTAURANTS



SHOPS



HEALTH



TOWN AND COUNTRYSIDE



COMMUNICATIONS AND ADMINISTRATION

# Índice

# 目录

住房



交通



旅行



食品供应和饭店行业



商业



健康



城市和乡村



通讯和行政管理

المسكن



المواصلات



الرحلات



الغذاء وتقديم الطعام



المحال التجارية



الصحة



القرية والريف



الاتصالات والإدارة

# الفهرس